U.G.E. 10|18
12, avenue d'Italie — Paris XIIIe

DU MÊME AUTEUR
DANS LA COLLECTION 10/18

Les Vacances de Marcus Aper, nº 2300
Marcus Aper chez les Rutènes, nº 2384

CHEZ D'AUTRES ÉDITEURS

Romans :

Le Douzième Vautour, 1983, Seuil.
(Ouvrage couronné par l'Académie française.)
Éponine, 1985, Seuil.

Essai :

Le Chien compagnon des dieux gallo-romains,
1985, Éditions Trismégiste.

Adaptations théâtrales :

Théâtre à domicile, d'Edouard Radzinski,
« Avant-Scène », nº 8444, 1989 ;
Le Songe d'une nuit d'été,
de William Shakespeare,
Éditions du Théâtre Populaire en Occitanie, 1992.

Anne de Leseleuc est docteur en Histoire
et Civilisations de l'Antiquité.

MARCUS APER ET LAUREOLUS

PAR

ANNE DE LESELEUC

10|18

INÉDIT

« Grands Détectives »
dirigé par Jean-Claude Zylberstein

Si vous désirez être régulièrement tenu au courant
de nos publications, écrivez-nous :
Éditions 10/18
12, avenue d'Italie
75627 Paris Cedex 13

ISBN 2-264-01781-3

— Pourquoi reprendre un vieux drame qui date du temps de Caligula ? maugréait l'athlétique Marcus Aper en faisant onduler sa toge d'avocat au rythme de son pas martial.

Son affranchi, le jeune homme roux qui le suivait en trottinant, semblait très excité. Nestor, d'ordinaire si grognon, exultait de joie à la pensée d'assister pour la première fois de sa vie à un spectacle aussi sensationnel dans le prestigieux théâtre d'*Arausio*[1]. Le maître et son factotum avaient beau hurler, leurs propos se perdaient dans le brouhaha et leur course fut bientôt freinée par la cohue qui se bousculait sur le *forum*[2] situé au nord du théâtre. A croire que tous les ressortissants de l'empire de Rome se fussent donné rendez-vous devant le portique de la plus belle muraille de la Narbonnaise pour fêter les *ludi Victoriae Caesaris*[3] de l'an IX du principat de

1. *Colonia Julia Firma Secundanorum Arausio* : Orange (Vaucluse).

2. *Forum* : grande place entourée de portiques, à l'intersection de la rue nord-sud et de la rue est-ouest.

3. Fêtes qui, du 20 au 30 juillet, rappelaient la conquête de la Gaule par César.

Vespasien[1]. Nestor, le nez en l'air, continuait à jacasser tout en admirant l'arcature du *postcaenium*[2] illuminée par le soleil. Emprisonné dans la marée humaine, comme un jaune d'œuf dans son blanc, Aper dut se résoudre à écouter Nestor.

— D'abord, ce *Laureolus* auquel nous allons assister est un mime très différent de la pièce écrite par Catullus !

— C'est exactement ce que je crains, interrompit Aper, c'est du ravaudage ! Thalie est muette depuis la mort du divin Auguste ! Notre génération n'a produit aucun dramaturge, alors ces messieurs les grands metteurs en scène, qui ne sont ni capables d'écrire ni assez talentueux pour être acteurs, ont inventé un nouveau genre de spectacle : le mime[3] . On vole l'intrigue d'un chef-d'œuvre et on l'accommode à la sauce burlesque. Le protagoniste déclame des tirades connues de tous, et on y ajoute une pincée de trivialité, deux pincées de violence ! On appelle cela une tranche de vie, alors que ce n'est qu'un ragoût de crimes et de culs ! Pour faire moderne, on supprime les masques, et de vulgaires créatures usurpent les rôles des héros ! On assassine en faisant des cabrioles et des femmes dévêtues osent se produire sur la scène !

Nestor murmura timidement :

— On tue aussi dans Eschyle...

Son maître haussa les épaules et poursuivit :

— Eschyle respecte la mort, donc la vie. Il parle d'héroïsme, de noble vengeance. Les nouveaux mi-

1. 77 après J.C.

2. *Postcaenium* : construction postérieure attenante au mur de scène du théâtre.

3. Cf. *Annexes*, p. 198.

mes n'exhibent que des crimes crapuleux. Pourquoi voudrais-je passer huit jours en compagnie de voyous dont je ne supporterais pas la présence le temps de l'écoulement d'un sablier ! Huit jours, tu entends ! Ce spectacle doit durer huit jours, du zénith au crépuscule ! Quelle angoisse, chaque soir, d'avoir à se dire qu'il faudra revenir le lendemain s'asseoir sur ces pierres. Quand je pense que toutes ces pitreries se passent sous l'œil indifférent du divin Auguste, emprisonné dans le mur de scène pour l'éternité. C'est au-dessus de mes forces ! Rentrons chez nous !

Nestor réagit violemment :

— Nous ne pouvons pas partir ! Quintus Curtius Rufus t'a invité personnellement !

— Je m'en moque, partons ! clama Aper de sa belle voix de bronze en pinçant nerveusement l'extrémité de sa moustache.

Nestor commençait à trouver l'égoïsme de son maître intolérable. Certes, il était prêt à passer au feu pour lui, à chevaucher des nuits entières à la poursuite d'un témoin, il avait même appris à lire et à écrire ! Cela méritait une petite compensation. Ces festivités d'Arausio, il entendait bien ne pas y renoncer. Singeant son maître, il bomba le torse, tira sur les trois poils roux de sa moustache et rugit de sa voix aigrelette :

— Rufus est *duumvir*[1] de la colonia Julia Firma Secundanorum Arausio ! Et il y a un coussin marqué à ton nom au deuxième rang de la *cavea*[2] ! Ton absence produirait le plus désastreux effet.

1. *Duumvir* : un des deux magistrats élus pour un an par le sénat municipal.

2. *Cavea* : hémicycle constitué de gradins réservés aux spectateurs.

Entraînés par un puissant remous, ils se trouvèrent propulsés vers le levant, jusque sous la voûte qui menait à l'intérieur, aux pieds des gradins. Deux gardes fendaient la foule. Ils arrivèrent près de Marcus Aper. Comme un numéro de duettistes, ils débitèrent leur message, le plus vieux commençant les phrases et le plus jeune les finissant :

— Le duumvir nous a chargés de te retrouver...

— ... pour te mener jusqu'à lui !

— Il n'est pas convenable qu'un homme comme toi se trouve...

— ... mêlé à la foule !

— Viens !

— Suis-nous !

Marcus parut étonné. Rufus n'était pour lui qu'une vague relation. Il se savait l'un des avocats les plus renommés de l'Empire, mais il n'avait jamais fait de politique et ne pensait pas, à trente-six ans, devoir mériter cet honneur d'ordinaire réservé aux barbes blanches.

A contre-courant de la multitude, ils rebroussèrent chemin. Nestor ne lâchait pas le pan de la toge de son maître. Il se demandait ce que pouvait signifier cette comédie alors qu'ils étaient presque arrivés à leur fauteuil.

Un service d'ordre impressionnant gardait l'escalier sous voûte qui conduisait à la loge officielle. Elle était située sur le palier qui surmontait le porche d'accès du public au couchant de l'*orchestra*[1]. Les gardes firent la haie, et saluèrent le personnage important qui faisait son entrée. Nestor suivait toujours. Un petit homme râblé aux cheveux noirs se tenait debout sur la dernière marche. Il se précipita au-devant d'Aper et dit :

1. *Orchestra* : aire de jeu semi-circulaire entre la scène et les gradins.

— Je suis Titus Licinius Maxumus, édile d'Arausio. Le duumvir m'a chargé de t'accueillir.

— C'est très aimable à lui ! répondit l'avocat, je ne m'attendais pas à cet honneur.

L'édile désigna un fauteuil à Marcus et, toutes dents dehors, lui susurra à l'oreille :

— Malheureusement il n'y a pas de place pour ton affranchi ! Je suis certain qu'il prendra tout autant de plaisir en s'installant dans les gradins supérieurs.

D'emblée, Nestor trouva ce Maxumus très antipathique et, en tournant les talons, lança d'un air goguenard :

— Je t'attendrai dans la voiture, à la fin du spectacle !

Nestor partit en sifflotant. « Soyons logique ! » se dit-il, « on ne peut pas demander au magistrat chargé de la voirie, des travaux publics et de la police de la cité d'avoir des sentiments humains. » Il prit son souffle et se mit en devoir de gravir les escaliers qui grimpaient de l'orchestra jusqu'au haut des gradins creusés dans le flanc de la colline du capitole.

Une première sonnerie de trompettes retentit du faîte de la cavea. Le duumvir pénétrait dans la loge. Marcus avait entendu parler de sa ravissante épouse ; pourtant, il arriva seul. Il expédia de vagues salutations aux occupants de la tribune et pria Marcus Aper de prendre place à côté de lui. Maxumus suivit le mouvement. Aper se trouva assis entre le duumvir et l'édile.

Le duumvir n'était plus un homme jeune. Il semblait las. Les yeux, les commissures des lèvres, les sillons du visage convergeaient vers la peau flottante d'un cou décharné. Les cheveux avaient déserté son crâne, petit à petit, au cours de sa longue et brillante carrière municipale. Il venait d'être promu flamine du culte impérial. Suprême consécration, le sénat de Rome l'avait autorisé à faire ériger sa statue de son vivant. Aucune arrogance, aucune satisfaction de soi ne se dégageait de la personne de cet homme usé. Marcus, lui, n'avait aucune fonction officielle, il était juste un vagabond de l'art oratoire, mais il se sentait bien dans sa peau tendue sur une musculature puissante. Il aimait les femmes, la cervoise et les ragoûts mitonnés. Il aimait les chevauchées en forêt. Il se demandait ce qu'il faisait là.

Le triste magistrat laissa échapper dans un soupir :

— Inutile de garder un fauteuil pour mon épouse ! Elle m'a quitté ! Elle veut demander le divorce. Et je te donne en mille la raison de cette rupture ! Tuccia me plaque pour cause de réussite ! L'honneur d'être flamine me coûte cent mille sesterces, une fortune ! Ce spectacle que j'offre au peuple est très au-dessus de mes moyens ; mais comment faire autrement ? Tuccia ne veut pas être la femme d'un homme ruiné.

— Toi, ruiné ? pouffa l'édile. Elle ne réfléchit pas plus loin que le bout de son joli nez, ta magistrature est la porte ouverte sur toutes sortes de profits. Je te fais confiance, ta charge te rapporte bien plus que ce que tu as investi dans la fête.

Aper caressait sa moustache. Il se tourna vers Rufus et lui demanda :

— Qui t'a donné l'idée de ce spectacle ?

— Mais c'est une idée personnelle du duumvir ! s'empressa de dire Maxumus.

— Disons que tu m'as un peu influencé ! rectifia Rufus. Je pensais vaguement au drame de Catullus. Son *Laureolus* a toujours enthousiasmé le public. Les facéties de ce fripon le déchaînent. J'ai eu la chance de convaincre le grand mime Nica, qui a décidé Pylade à le mettre au goût du jour et à régler les danses et les intermèdes. A ce qu'on dit, les combats et les bouffonneries sont aussi drôles que terrifiants. J'espère seulement que le talent de Pylade est proportionnel à ses exigences ! Il paraît qu'il va se passer tellement de choses sur la scène qu'on en oubliera l'histoire du protagoniste.

Maxumus ricana et enchaîna :

— D'autant plus que l'histoire de Laureolus n'est plus tout à fait l'histoire de Laureolus. C'est une tranche de vie au plus près de la réalité que nous avons voulu montrer. Au lieu de raconter les turpitudes de ce brigand démodé, Pylade a imaginé de nous faire assister à la succession des crimes d'un authentique malfaiteur qui vient juste d'être condamné à mort. Nica jouera son rôle jusqu'à la dernière scène. Mais, coup de théâtre ! pour le final, le vrai criminel sera livré à un ours de Calédonie[1] sous les yeux du public. C'est une trouvaille de génie, non ? Et une économie pour toi, Rufus. Une mise à mort sans que tu sois obligé de payer des gladiateurs ! Je ne vois pas de quoi se plaint ta femme ? Tu prouves au contraire que tu es capable de faire des économies sans priver le peuple de son plaisir.

Aper avait envie de vomir. Il articula avec peine :

— Et comment s'appelle le condamné ?

Maxumus prononça dans un soupir faussement ému :

— Nous avons préféré que son nom reste secret, appelons-le : Laureolus ! Trop de publicité sur son nom rendrait la vie impossible à sa femme et à ses enfants. Ils ne sont pas coupables, ces pauvres gens.

Aper regarda Maxumus droit dans les yeux et lui demanda :

1. Calédonie : Écosse.

— Et qu'en pense l'avocat de ce Laureolus ?

Maxumus sourit dédaigneusement et dit :

— Ces fripons-là n'ont pas d'avocat !

La deuxième sonnerie de trompettes retentit. Les neuf mille spectateurs étaient enfin arrivés à se caser dans l'hémicycle. Les quatorze premiers rangs étaient réservés aux notables. Là, voisinaient des hommes en toges, et des femmes richement vêtues qui exhibaient crânement leurs toupets de cheveux bouclés sur le haut du front. Ces vénérables derrières reposaient douillettement sur des coussins de soie. Les travées suivantes étaient occupées par les commerçants, les patrons artisans, les riches fermiers, tous hommes libres, citoyens de droit romain payant des impôts, et qui arrivaient munis d'un petit coussin de jute ou de toile qu'ils glissaient entre la pierre et leur moins glorieux mais tout aussi honorable postérieur. Et, tout en haut, le tout-venant, tâcherons, apprentis, ouvriers, libres ou serviles, gens de maison, de ferme et d'officine, esclaves et vagabonds. Les plus malins, ceux qui étaient arrivés de longues heures en avance, s'entassaient assis sur les derniers gradins de pierre ; les autres, les retardataires, s'agglutinaient debout, au dernier étage, près des poulies du grand velum de toile qui couvrait toute la cavea pour la protéger du soleil. Les représentations n'avaient jamais lieu la nuit.

Le spectacle allait commencer. Alors, le haut rideau de scène glissa sur ses câbles depuis la bordure du toit qui surplombait le *proscaenium*[1] et s'enroula autour de l'arbre logé dans une fosse qui courait en

1. *Proscaenium* : scène recouverte d'un toit et adossée au mur de scène.

bas du *pulpitum*[1] . La tenture qui fermait le palier en face de la loge d'honneur s'entrouvrit. Des gardes poussaient un homme torse nu qui avait les mains liées derrière le dos. Un grand silence se fit dans l'assistance. Tous les regards convergèrent en direction du prisonnier. Les musiciennes prirent place sur une estrade placée au-dessous du pulpitum. Une jeune fille commença à jouer de la cithare, une autre pinça sa lyre, tandis que la troisième posa ses lèvres sur sa flûte. Pylade, le chef de troupe, entra sur scène et salua. Le duumvir se leva, jeta une bourse aux pieds de Pylade et dit :

— Apollon, c'est à toi que nous dédions cette fête. Reçois notre offrande ! Et maintenant, place au théâtre !

Le duumvir se laissa choir dans son fauteuil pendant que Pylade ramassait la bourse pleine de pièces d'or. Pylade s'avança, posa sa main gauche sur sa hanche, tendit l'autre bras vers le public et commença sa déclamation :

— Chers spectateurs, c'est une histoire vraie que nous allons vous raconter. Le misérable auteur de tous ces crimes est devant vous ! Il ne faudra pas moins de huit longs jours pour rapporter ses forfaits. Alors, quand vous aurez assisté à tant de crimes, s'il vous reste quelque pitié pour un aussi barbare meurtrier, si vous demandez sa grâce, il sera épargné. Mais si vous réclamez vengeance, il sera ici même offert aux crocs d'un ours de Calédonie !

Sans attendre d'avoir vu les faits pour juger, la foule déchaînée ne voulant pas être privée du clou du spectacle se mit à hurler :

— A mort ! Pas de pardon !

1. *Pulpitum* : estrade de la scène.

Comme une figure de ballet parfaitement réglée, tous les poings se tendirent, le pouce baissé vers le sol. Seul, un important personnage, en toge blanche bordée de rouge, était resté impassible dans son fauteuil de marbre sculpté au premier rang de la cavea, face à la porte royale du mur de scène.

Marcus parut surpris. Il se pencha vers Rufus :

— Je ne savais pas que le questeur de la Narbonnaise devait honorer ton spectacle de sa présence !

Le duumvir eut un petit sourire ambigu et répliqua :

— Atleas n'y aurait manqué pour rien au monde. Il a hâte de voir de ses propres yeux le dénouement de la sombre histoire de ce Laureolus. C'est lui qui a présidé à Arausio le tribunal chargé de juger ce fripon. Le proconsul de la province sénatoriale de la Narbonnaise ne siège plus jamais que dans sa capitale de *Narbo Martius*[1]. Atleas est un homme riche et puissant, son autorité s'étend à toutes les recettes et dépenses de la Narbonnaise, et il a le contrôle des travaux publics.

— Tu sembles bien le connaître ! remarqua Maxumus, moi, je n'ai pas l'honneur de compter au nombre de ses intimes.

Les premiers accords des musiciennes figèrent l'hémicycle dans l'excitation de l'attente. Tous les spectateurs avaient les yeux braqués sur les trois étages de colonnes de marbre, de statues et de niches du haut mur de scène percé à chaque niveau d'ouvertures pour l'apparition de personnages ou la réalisation d'effets scéniques. Sur le proscaenium, des servants, marchant au rythme de la musique, disposaient des panneaux peints entre les colonnes. Ceux-ci repré-

1. *Narbo Martius* : Narbonne (Aude).

sentaient l'intérieur d'une taverne et constituaient le décor du prologue. Des trappes s'ouvrirent dans le plancher de la scène, et par un ingénieux dispositif de câbles, treuils et contrepoids, surgirent des tables et des tabourets, ainsi que l'aubergiste derrière son comptoir. La sophistication de la machinerie faisait trépigner de joie les grands enfants des cimes de la cavea.

Un cymbalier rejoignit l'orchestre et donna la cadence d'une marche entraînante. Par les portes latérales, les comparses firent irruption en cavalcade joyeuse et multicolore. Suivant une tradition qui facilitait la compréhension du public, et encourageait sa paresse, les vieillards portaient une tunique blanche, celle des jeunes gens était chamarrée, tandis que celle des courtisanes était jaune, celle des riches, couleur de pourpre et celle des pauvres, rouge. On reconnaissait les méchants au *pallium*[1] roulé sur l'épaule, les parasites à leur pallium bariolé et les esclaves à leur tunique courte. Tous se mirent à gesticuler, la cohue s'organisa en ballet. Les pauvres s'approprièrent les bijoux des riches, les entremetteurs arrachèrent les tuniques des courtisanes, certains riches battaient des pauvres tandis que d'autres pauvres assommaient des riches. Tous faisaient semblant de boire de grandes rasades de vin. Puis tous les hommes s'affalèrent sur le sol pour regarder les filles dénudées danser à l'avant-scène. Soudain, des flammes apparurent derrière les ouvertures béantes du mur. La porte royale s'ouvrit, l'hémicycle tout entier retint son souffle, le protagoniste fit son entrée !

1. *Pallium* : pièce de tissu roulée sur l'épaule.

Laureolus, drapé de rouge, le pallium roulé sur l'épaule, traînait un sac ventru. Le public ne pouvait s'y tromper, le héros était un voleur. Laureolus, irrémédiablement coupable dès sa première apparition, prit le centre de la scène sous les ovations et les injures. Il frappa dans ses mains ; les comparses s'immobilisèrent. Le bandit ouvrit le sac, une quincaillerie de faux or se répandit sur le sol. Il ramassa un collier de verroterie et se dirigea vers le groupe des courtisanes. Il en empoigna une par la chevelure, lui passa le collier autour du cou, la jeta à terre, l'enfourcha et hurla d'une voix de stentor :

— Que la fête continue ! C'est moi qui régale. Aujourd'hui, je suis riche !

Chaque homme s'empara d'une danseuse et l'orgie commença. Les positions les plus obscènes s'offrirent aux regards d'un public déchaîné. Aper, ivre de dégoût, s'était endormi. Du haut des gradins, Nestor surveillait la loge d'honneur. Quelle ne fut pas sa surprise de constater que le fauteuil du duumvir était vide. Son attention fut alors de nouveau attirée par la scène. Un personnage inconnu, en robe pourpre déchirée et maculée de suie, venait de faire irruption par la porte des hôtes. Il hurlait :

— Surpris de me voir, Laureolus ! Tu me croyais mort, mais les dieux ont voulu que je vive pour me venger de toi ! C'est toi qui as étranglé ma fille, volé mon or et mis le feu à ma maison !

A peine avait-il fini sa phrase que Laureolus se jetait sur lui. Le combat entre les deux hommes constituait un des points forts du prologue. Les coups semblaient portés avec une violence inouïe et des poches de peinture, dissimulées sous les tuniques, libéraient des flots de liquide rouge. Dans sa loge, le prisonnier semblait ravi. Il riait à gorge déployée et, ses mains liées l'empêchant d'applaudir, il trépignait de fierté à chacun des coups assenés par son personnage.

Le combat aurait pu durer jusqu'à la nuitée, tant l'assistance y prenait de plaisir, mais soudain, Laureolus saisit le goulot d'un barillet de verre, cassa la bouteille d'un coup sec sur le rebord de la table et, brandissant son arme à bout de bras, alla trancher la gorge de son adversaire.

C'est alors qu'un cri retentit en provenance du public :

— Menteur ! hurlait le détenu, je ne l'ai pas tué !

Aussitôt, un de ses geôliers lui assena un coup de poing sur la tête et le traîna hors de la loge.

L'incident passa presque inaperçu. Sur scène, des gardes portant la chlamyde agrafée sur l'épaule entraient au pas de course par les deux portes latérales. Les riches et les courtisanes s'enfuirent, et il s'ensuivit une bagarre réglée comme un ballet entre les gardes et les voyous. Armés de leur glaive, les soldats coupaient de fausses jambes et de faux bras. Les morceaux de chair humaine sanguinolente valsaient dans les airs comme des osselets.

Dans le tourbillon, Laureolus était arrivé au seuil de la porte centrale, mais il retourna sur ses pas pour ramasser son trésor et les gardes s'abattirent sur lui, le maîtrisèrent et le ligotèrent. Le sol était jonché de cadavres, seules restaient debout quelques silhouettes titubantes qui s'écartèrent pour laisser passer le bandit capturé et son escorte. Laureolus montait la première marche du perron de la porte royale, quand un entremetteur lui glissa à l'oreille :

— Ne t'inquiète pas, je te ferai sortir de prison !

Sur cette promesse d'espoir pour le héros, et de nouvelles émotions pour le public, le rideau de scène surgit de sa trappe, et actionné par les câbles latéraux, remonta vers le plafond.

Les occupants de l'hémicycle étaient en délire. Ils piétinaient, applaudissaient, hurlaient. Les filles nues, le sexe et la violence leur avaient échauffé le sang. Nestor ne soupçonnait pas qu'il fût possible de pousser le vérisme jusqu'à cette impudence et cette atrocité. Il avait hâte de retrouver son maître. La foule debout applaudissait toujours, et déjà les trois escaliers qui traversaient la cavea étaient embouteillés. Il sauta, comme un cabri, de gradin en gradin, en bousculant tout le monde pour se frayer un passage. Bientôt, il se retrouva au deuxième rang, juste au-dessus des fauteuils de marbre des notables. Tous les sièges étaient vides à l'exception de celui du centre. Le questeur de la Narbonnaise semblait dormir. Nestor lui glissa à l'oreille :

— Le spectacle est fini ! Pour connaître la suite il faudra revenir demain.

L'homme ne se réveillait pas. Nestor lui tapa sur l'épaule. Atleas restait toujours immobile, les yeux grands ouverts. Nestor remarqua alors le manche d'un stylet planté sous l'aisselle gauche du questeur. Il prit ses jambes à son cou et courut jusqu'à la *rheda*[1] garée dans la ruelle, derrière le nymphée, à l'ouest du forum.

Marcus Aper l'attendait assis sur une marche de la fontaine en hémicycle.

— Te voilà bien excité ! lança Marcus, en fixant les joues cramoisies, les cheveux en bataille et la tunique relevée au-dessus des genoux de son affranchi.

1. *Rheda* : voiture de voyage tirée par des chevaux.

Nestor éructa plus qu'il ne dit :

— Le questeur a été assassiné !

Aper éclata de rire et, en lui donnant une tape amicale, il lui dit :

— Remets-toi ! Ce n'est que du théâtre ! Les morts se relèvent à la fin de la pièce pour venir saluer ! Mais où as-tu été chercher que l'acteur en tunique pourpre que Laureolus a égorgé jouait le rôle d'un questeur ?

Nestor n'avait pas envie de plaisanter, il enchaîna d'un ton pathétique :

— Je te parle du questeur de la Narbonnaise, Atleas ! Lui, il ne se relèvera pas. Il est bel et bien mort ! J'ai vu l'arme plantée dans son cœur.

Marcus ne riait plus. Il répéta :

— Atleas a été assassiné ?

— Puisque je te le dis ! soupira l'affranchi exténué.

L'avocat poursuivit :

— Voilà un crime dont on ne pourra pas accuser le condamné ! Il était entouré de sbires dans la loge en face de la mienne.

— Les gardes l'ont fait sortir pendant le spectacle ! rétorqua Nestor.

— Absurde ! grogna Marcus.

— Ce dont je suis certain, renchérit Nestor, c'est que le duumvir, lui, s'est absenté ! Je l'ai vu.

— Absurde ! répéta Marcus.

Une pensée traversa l'esprit de maître Aper.

— Suis-moi ! cria-t-il à son factotum.

Les derniers spectateurs sortaient du porche quand ils pénétrèrent dans le théâtre. L'hémicycle était pratiquement vide.

— Où est ton cadavre ? rugit Marcus.

Le corps du questeur avait disparu.

Il était inenvisageable pour Marcus et Nestor d'espérer bouger leur rheda dans l'opaque embouteillage de piétons, de cavaliers et de voitures qui empêchait toute circulation aux alentours du théâtre. Leurs chevaux piaffaient. Nestor alla tendre une pièce d'un as au gamin qui s'était octroyé la charge de voiturier pendant ces jours fastes. Armé d'un seau, il allait puiser l'eau à la fontaine pour donner à boire aux chevaux et savait être convaincant pour éloigner les rôdeurs, car les trousse-besaces s'en donnaient à cœur joie pendant les jours de fête.

L'avocat et son affranchi traversèrent le forum et s'engouffrèrent dans le flux qui descendait le *cardo*[1] en direction du septentrion. La cité s'organisait suivant un plan géométrique où les rues, se coupant à angle droit, délimitaient des blocs de hauts immeubles agrémentés de terrasses fleuries. La ville semblait aveugle, toutes les boutiques du rez-de-chaussée des immeubles avaient accroché leurs volets de bois. Commerçants, artisans, commis et apprentis, tous s'étaient rendus au théâtre.

Arrivés au carrefour du *decumanus*[2], la grande rue qui coupait la cité d'ouest en est, les deux amis tournèrent à leur dextre en direction des beaux quartiers. La circulation devint plus fluide. Ils tournèrent encore à droite, puis à gauche, contournèrent les villas des notables, et arrivèrent devant le mur austère d'une *domus*[3] . Cette grande résidence urbaine était une propriété municipale que le sénat local réservait

1. *Cardo* : rue partageant la cité, axe nord-sud.
2. *Decumanus* : rue partageant la cité, axe est-ouest.
3. *Domus* : maison citadine habitée par une seule famille.

à ses hôtes de marque. C'était là que s'installaient le proconsul et le questeur de la Narbonnaise quand ils séjournaient dans la colonie d'Arausio. C'était là que le duumvir avait mis un appartement à la disposition de Marcus Aper. Dès le porche franchi, on pénétrait dans l'*atrium*[1] qui débouchait dans un riant jardin fleuri entouré de portiques. La résidence provisoire de Marcus se situait au premier étage de l'aile ouest.

Aper n'avait pas prononcé un mot pendant tout le trajet. Il n'avait pas cessé de maltraiter sa moustache. Arrivé sur la troisième marche de l'escalier de bois, l'avocat fit demi-tour, se trouva nez à nez avec Nestor et lui dit :

— Je suis curieux de savoir si ton cadavre n'est pas tout bonnement rentré chez lui. Allons lui rendre visite ! Il ne me refusera pas une cervoise, je crève de soif !

Ils traversèrent à nouveau le jardin intérieur et se présentèrent au garde en faction devant la porte du rez-de-chaussée de l'aile est.

— Va demander à Atleas, questeur de la Narbonnaise, d'avoir la courtoisie de recevoir l'avocat Marcus Aper !

— Le questeur n'est pas rentré du théâtre ! répondit le planton.

— Alors, tu ne me crois toujours pas ? grommela Nestor qui ruminait sa vexation.

— Il devait souper chez le duumvir, enchaîna le garde.

Nestor s'empressa de conclure :

— Ça tombe bien, nous sommes invités !

Il allait enfin pouvoir prouver à son maître qu'il n'avait pas la berlue. Marcus dévisagea Nestor avec

1. *Atrium* : salle d'entrée d'une villa munie d'un bassin destiné à recevoir les eaux de pluie.

ce regard qui virait du bleu au gris acier lors de ses accès de mauvaise humeur. Il grogna :

— Le bain de foule, j'en sors ! Il y aura un monde terrible ! Tu sais bien que je n'avais pas l'intention d'y aller. Personne ne remarquera mon absence.

Nestor ricana :

— Mais n'as-tu pas envie de remarquer l'absence du questeur ?

Après une telle journée, tout effort paraissait insurmontable à Marcus. Il grogna derechef :

— La réception a lieu à la basilique civile, en haut de la colline du capitole, au sud de la cité ! Nous ne pouvons pas y aller à pied !

— Allons chercher la voiture ! répliqua Nestor. La route doit être dégagée.

Une heure plus tard ils arrivaient sur l'esplanade du capitole. La vue était superbe. De la hauteur, on pouvait découvrir toute la ville. Une mosaïque hexagonale de gros cubes était entourée par une puissante muraille, et là-bas, à l'extrémité nord du cardo, à l'extérieur de l'enceinte, se dessinaient les trois arches de l'arc triomphal érigé sous Tibère, à la gloire des vétérans de la IIe légion pour lesquels avait été créée la colonie d'Arausio. Ils traversèrent la place dallée. Sur trois des côtés s'élevaient les temples dédiés à Jupiter, Junon et Minerve. La basilique civile faisait face au temple de Jupiter. Ils contournèrent le monument, entrèrent dans la cour intérieure, descendirent de voiture et confièrent au palefrenier leurs deux malheureux chevaux qui avaient bien mérité leur sac d'avoine.

Aper ne s'était pas trompé. Les trois nefs de la basilique étaient noires de monde, ou plutôt, blanches : il n'y avait pas de femmes et tous les hommes portaient la toge ! De longs buffets chargés de cochonnaille, de légumes au vinaigre, d'olives et d'huîtres s'alignaient entre les colonnes qui séparaient les nefs. Aper ne connaissait personne. Suivi par Nestor comme par un petit chien, il louvoyait entre les groupes à la recherche d'Atleas. Il tomba sur Maxumus qui l'entraîna dans le vestiaire du tribunal. L'édile referma la tenture derrière eux et pria Nestor de retourner se désaltérer au buffet. Marcus déclara d'un ton sec :

— Il n'a pas soif ! Je préfère qu'il reste avec moi. Tu peux parler devant lui. Pourquoi tant de mystères ?

Dès qu'ils furent à l'abri des oreilles indiscrètes, l'édile d'Arausio prit la main de Marcus et lui dit :

— Aper, c'est effrayant ! J'ai besoin de ton aide. Atleas a disparu ! Il faut le retrouver.

Nestor se sentit envahi par une immense gratitude envers son maître qui lui avait permis d'entendre cette rassurante révélation. Il n'avait pas rêvé ! Il gratifia l'avocat d'un malicieux clin d'œil que l'édile ne sut comment interpréter.

Aper haussa les épaules :

— On ne peut pas faire disparaître un questeur comme un lapin dans un capuchon !

L'édile marchait nerveusement de long en large :

— Toutes les précautions de sécurité avaient été prises, crois-moi ! Mais le questeur avait de nombreux ennemis.

— Avait ? Tu le crois mort ?

— Au théâtre, à côté et derrière lui, trois places étaient occupées par des hommes de sa garde personnelle. A la fin du spectacle, dans la bousculade, le questeur et ses voisins de droite et de gauche ont disparu. Ils sont introuvables. Celui qui était placé derrière Atleas est venu me dire qu'il les avait cherchés partout : la voiture n'a pas bougé, ils ne sont pas passés à la domus municipale et ne sont pas venus ici. Je crains le pire, un enlèvement ? Un meurtre ?

Nestor fixait Aper avec insistance. Il se décida enfin à parler :

— Cela ne correspond pas à ce que j'ai vu.

— Qu'as-tu vu ? demanda l'édile.

— Quand j'ai quitté le théâtre, le questeur était mort dans son fauteuil. Personne n'était à côté de lui.

— Tout à fait invraisemblable ! rétorqua Maxumus. Le garçon qui était derrière lui est venu me faire un rapport. Les trois gardes du corps et Atleas se sont levés ensemble. Ils ont pris, ensemble, le chemin de la sortie. Ce n'est qu'au milieu de la foule que deux gardes et le questeur ont échappé à sa vigilance.

— Il a été assassiné ! glapit Nestor. J'ai vu l'arme encore plantée sous son bras.

— Ton affranchi est-il sujet à ce genre d'hallucinations ? demanda Maxumus avec un sourire ironique. Trêve de plaisanteries ! L'affaire est grave. Aper, puis-je compter sur ton aide ?

— Sincèrement, je ne vois pas comment je pourrais t'être utile. Envisages-tu déjà une liste de suspects ? Sais-tu à qui cette disparition pourrait être profitable ?

— Peut-être à Atleas lui-même ! On disait qu'avec la complicité de hauts personnages, il se livrait à toutes sortes de transactions.

— Hors de la légalité ?

— Comment le saurais-je ?

— Cela ne me concerne pas. Aucun prévenu n'est venu solliciter mon assistance. Je pense que tu dramatises ! Atleas s'est tout simplement échappé avec ses compagnons pour passer la soirée au cabaret. Commence par faire la tournée des tavernes ; et bonne chance !

Marcus bouscula Nestor vers la sortie pour l'empêcher de parler.

En arrivant devant la domus municipale, Marcus fut accosté par un esclave qui lui remit une tablette et s'éclipsa. Ces simples mots étaient gravés dans la cire :

« Je t'attends demain à la deuxième heure[1] à la porte du chemin portuaire. Rufus. »

1. Deuxième heure : de 5 h 42 à 6 h 58 (heure diurne d'été). La première heure correspondait au lever du soleil.

Le rendez-vous de conspirateurs, fixé par le premier magistrat de la cité, avait laissé Marcus perplexe. Il avait fort mal dormi. Les premiers rayons du soleil le tirèrent du lit et tandis que Nestor le rasait, il se mit à penser tout haut :

— L'édile et le duumvir semblent avoir de sérieux problèmes. Et chacun d'eux veut m'attirer dans son camp. Cette disparition d'un questeur ne tient pas debout.

— Atleas, lui, il n'a plus de problèmes ! marmonna Nestor, je te dis qu'il est mort !

— Il y a au moins trois personnes qui doivent savoir la vérité : les gardes qui accompagnaient le questeur. D'après Maxumus, deux d'entre eux ont disparu avec Atleas, mais tu vas essayer de rencontrer le troisième. Renseigne-toi auprès du planton de la domus, les gardes doivent avoir l'habitude de fréquenter une taverne.

— Maxumus ment ! Rien ne s'est passé comme il l'a dit.

— Il est peut-être de bonne foi, peut-être quelqu'un d'autre lui a-t-il menti ?

— Il n'a pas l'allure d'un homme de bonne foi !

— Qui t'a appris à juger les gens sur leur allure ?

— Toi !

— S'il avait quelque chose à cacher, il ne m'aurait pas demandé mon aide.

Aper rejeta dédaigneusement la tunique que lui présentait son affranchi, fouilla nerveusement dans le coffre et en extirpa des braies et un sayon qu'il enfila tout en ronchonnant :

— Je vais sur le chemin portuaire, pas au tribunal !

Marcus partit à pied, pour avoir le temps de réfléchir. Malgré l'heure matinale, les boutiques avaient déjà ouvert leurs volets. Il fallait profiter au maximum de la matinée, l'après-midi tout serait fermé pour cause de représentation théâtrale. Les ménagères, le panier vide, couraient dans l'air encore frais du matin. De-ci de-là, des cris de rémouleurs ou de réparateurs de vaisselle déchiraient le silence. Aper descendit le decumanus vers le couchant et traversa le quartier des sculpteurs d'os. Il pressa le pas dans une venelle pour dépasser la charrette des videurs de latrines qui dégageait des effluves nauséabonds. « L'argent n'a pas d'odeur ! » avait déclaré Vespasien qui récupérait l'urine pour la vendre aux teinturiers. « Pour proférer de telles absurdités, l'empereur n'a jamais convoyé sa matière première ! » songea Marcus. Son nez lui avait fait perdre le fil de ses pensées. Il arriva avant l'heure prévue devant les quatre grosses tours qui gardaient le chemin portuaire. Le lieu était désert.

L'avocat marcha le long des fortifications. Il se trouva soudain confronté à une vision étrange. La muraille était effondrée, des pierres renversées se mélangeaient aux décombres de plusieurs masures. Des ronces recouvraient le champ de ruines qui, en y regardant mieux, pouvait ressembler à un chantier abandonné. Marcus se souvint alors de la terrible inondation qui avait, sept ans auparavant, dévasté une partie d'Arausio. Mais comment se faisait-il qu'une cité aussi riche n'ait pas encore reconstruite ? Il s'était pas mal éloigné du lieu du rendez-vous ; il rebroussa chemin. Rufus l'attendait sous l'arche.

— Marchons ! lui dit-il.

Il l'entraîna de l'autre côté de la porte, vers la nécropole qui bordait la route.

— Ici, les pierres n'ont pas d'oreilles ! murmura le duumvir.

— Pourquoi m'as-tu fait venir ici ?

— Pour te présenter les personnages de la pièce dont tu vas être le spectateur.

Rufus lui désigna alors une inscription gravée sur une stèle funéraire, puis une autre et une autre encore et il enchaîna :

— Retiens bien leurs noms : Valerius Bassus, Attius, Pontius. Tous ont péri de mort violente : un incendie, une attaque de brigands sur la route, une noyade pendant une partie de pêche. Tous habitaient le même quartier et tous sont morts au cours de ces trois dernières années. Intéressant, non ?

— Et Atleas, il habitait le même quartier ?

— Non !

— Ces morts ont un rapport avec l'intrigue du mime intitulé *Laureolus* ?

— Toutes ces morts ont été imputées au pauvre débile qui va être exécuté dans sept jours.

— Tu crois que ce n'est pas lui le criminel ?

— Si c'est lui, il devait opérer pour quelqu'un !

— Pour qui ?

— Franchement, je ne sais pas. C'est pour le découvrir que je t'ai invité à Arausio.

— Ce n'est pas mon travail. Tu as un édile chargé de la police. En as-tu parlé avec lui ?

— La disparition du questeur est une catastrophe pour moi. J'avais de très mauvais rapports avec Atleas. Nos différends étaient connus de tous. Maxumus me fait surveiller. Des tablettes ont disparu dans mes archives. Je risque d'avoir besoin d'un avocat. Veux-tu m'aider ?

— Pour t'aider, j'ai besoin de savoir et de comprendre ! Tu ne me dis qu'une partie des choses. En premier lieu, je veux connaître le véritable nom du condamné !

— Duvius ! Il descend d'une de ces familles celtes de Cisalpine qui sont venues s'installer ici avec les vétérans de la IIe légion. On avait attribué un lopin de terre à ses ancêtres, mais il appartient à la branche cadette, et son père devait se louer pour gagner le pain des gosses. Lui, très jeune, il a commencé à vivre de rapines.

— Il paraît qu'il est marié. Où habite sa femme ?

— Elle habitait le *pagus*[1] Minervus, au nord de la cité. Mais elle est partie sans laisser d'adresse.

— Que sais-tu de la disparition d'Atleas ?

— Rien ! Absolument rien ! Nous devions nous rencontrer pour parler après le souper. Je l'ai fait chercher, mais sans résultat.

— Quand as-tu été mis au courant de sa disparition ?

1. *Pagus* : village.

— En ne le voyant pas arriver à la réception.
— As-tu interrogé ses gardes du corps ?
— Je ne les ai pas vus !
— Personne n'est venu te prévenir ?
— Si ! L'édile ! Il était agressif, presque menaçant. J'ai pris peur et je t'ai fait parvenir le message.
— De quoi devais-tu parler avec Atleas ?
— Toujours de la même chose. La reprise des travaux dans le quartier démoli près des fortifications.
— Si je m'occupe de cette affaire, je dois lire tous les rapports relatifs à ces travaux !
— Je te l'ai déjà dit, les archives m'ont été volées.
— Qui me dit que ce n'est pas toi qui les as détruites ?
— Il faut que tu me croies sur parole.
— Je préfère des preuves !
Un curieux cortège entrait dans le cimetière. Une vieille femme voilée était suivie par trois adolescents et par des serviteurs qui portaient des paniers de victuailles et des barillets de vin. Ils allèrent s'installer autour d'une stèle funéraire, étendirent une nappe, et toute la famille s'assit sur le sol pour cet étrange pique-nique.
— Partons ! je ne voudrais pas être reconnu ! dit le duumvir, c'est la veuve de Bassus qui vient offrir les libations aux dieux pour l'anniversaire de la mort de son époux.

Marcus et Rufus s'éloignèrent, chacun empruntant une direction différente.

Marcus reprit le chemin du champ de ruines. Il déambula au milieu des gravats et s'arrêta devant des traces d'incendie qu'il n'avait pas remarquées la première fois.

Marcus se trouvait assailli par tant de questions qu'il ne put résister à la tentation d'en trouver les réponses. En réalité, rien de tout cela ne le concernait, il n'était pas l'avocat du prévenu puisqu'il n'y avait pas de prévenu, du moins pas encore. Rufus se désignait lui-même comme le premier suspect, cependant la justice avait déjà condamné son coupable. Un homme devait être exécuté dans sept jours, et pourtant, l'édile et le duumvir, pour des raisons opposées, semblaient mettre sa culpabilité en doute. La disparition du questeur avait-elle un rapport avec le fait qu'il avait présidé le tribunal et prononcé la sentence ? Atleas avait-il intérêt à fermer pour toujours la bouche du condamné ? Quelqu'un avait-il intérêt à faire taire le questeur ? Nestor affirmait que celui-ci était mort ; Nestor n'était pas homme à fabuler pour se faire valoir. Il avait bien vu le manche d'un stylet planté dans un cadavre. Seulement voilà, il n'y avait pas de cadavre !

Marcus n'avait pas abordé avec Rufus la véritable raison de son désaccord avec son épouse. Décider de se séparer de son mari pour cause de réussite sociale, comme l'avait affirmé le duumvir, était absurde. Il devait aller parler avec Tuccia.

Perdu dans ses pensées, Aper avait échoué près d'une taverne sise sous les arcades de la place du marché à l'huile qui faisait face à la fontaine en hémicycle. Cette place communiquait, par une arche, avec le forum. Marcus mourait de faim et de soif. Il s'installa à la terrasse, commanda des saucisses, une potée de fèves à l'huile et un pichet de cervoise.

Il n'y avait pas de marché les jours de représentation théâtrale. Sur les dalles de la place, des hommes et des femmes s'étaient assis par petits groupes et mangeaient les provisions qu'ils avaient apportées dans des paniers. On venait de loin pour assister au spectacle. Ils attendaient tous qu'on ouvre les portes du théâtre pour se précipiter à l'assaut des places assises sur les gradins supérieurs. Les spectateurs plus fortunés avaient investi tavernes et estaminets.

A la table à côté de celle de Marcus Aper, quatre hommes, qui portaient le même sayon rouge rayé de jaune, parlaient bas, comme s'ils se méfiaient des voisins indiscrets. Marcus tendit l'oreille. Il reconnut, par bribes, des expressions de marine. Nul doute que ces hommes devaient être des machinistes du théâtre, car c'était toujours parmi les anciens marins que l'on recrutait les spécialistes chargés des herses et des filins qui devaient faire apparaître et disparaître les décors. Marcus eut grand-peine à saisir le sujet de la discussion, mais il remarqua leur mine tragique. Il lui sembla même qu'ils craignaient que la représentation ne fût annulée. Les fèves refroidissaient, et Marcus ne comprenait toujours pas. Enfin un rougeaud, qui avait dû forcer sur le vin de pays, éleva le ton :

— Le rafiau ne va pas couler parce qu'un magasinier a été mis aux fers ! Ces trois cadavres qu'on a trouvés dans les panières, si c'était lui qui leur avait réglé leur compte, il ne les aurait pas laissés à bord !

Ses compagnons firent taire l'imprudent bavard. Marcus ne saisit plus un mot de la conversation. Il avala sa cervoise, laissa ses fèves sans y avoir touché, mis une poignée d'as sur la table et, au pas de course, retourna à la domus. Nestor l'y attendait. Sans préambule, il déclara :

— Je n'ai pas pu parler avec les gardes du questeur pour la bonne raison qu'on a retrouvé leurs cadavres dans les coulisses du théâtre.

— Je sais !

— C'est Rufus qui te l'a dit ?

— Il n'en savait rien !

Nestor boudait :

— Je me demande à quoi ça sert que je me décarcasse pour obtenir des informations que tu connaissais déjà en revenant tranquillement d'un rendez-vous avec le duumvir qui ne savait rien ! Et comment es-tu si certain qu'il ne savait rien ? L'édile le savait, lui ! Il a fait arrêter le chef costumier.

— Bien sûr ! On a retrouvé les corps dans des panières à costumes !

— Raconte et mange ! dit Nestor en désignant les galettes et le fromage de chèvre qu'il avait préparés sur le guéridon.

Il flairait une affaire bien embrouillée, une de ces affaires comme il les aimait !

— Pas le temps ! Drape ma toge ! Je vais voir l'édile.

Marcus était déjà dans l'escalier quand il se retourna et cria :

— Nestor ! trouve-moi la nouvelle adresse de Tuccia !

— C'est qui, Tuccia ?

— La femme du duumvir, il dit qu'elle l'a quitté.

— T'es bien assez malin pour la trouver sans moi ! Je ne veux pas rater le début du spectacle !

Décidément, Nestor boudait.

La petite pièce qui servait de bureau à l'édile était contiguë au vestiaire des juges, au premier étage de la basilique civile. On y accédait par une petite porte située à l'arrière du bâtiment. Un escalier menait à l'étage composé d'alvéoles bas de plafond.

Maxumus semblait calme, très maître de lui quand Aper entra en trombe dans le *tablinum*[1].

1. *Tablinum* : bureau, bibliothèque.

— Entre ! cria l'édile en découvrant sa mâchoire de carnassier.

Puis il s'adressa aux trois jeunes hommes en toge qui lui faisaient face :

— Je ne vous retiens plus !

Tous trois s'inclinèrent et sortirent.

Aper était bien décidé à ne pas parler le premier. Maxumus poursuivit le plus naturellement du monde :

— J'ai demandé à mes *comites*[1] d'occuper les trois places du premier rang. Ces sièges vides auraient causé un malaise !

Aper ne réagit pas. Maxumus le pria de s'asseoir dans un fauteuil d'osier et transporta le siège qui était derrière son bureau à côté de celui du visiteur. Il lui tapota le bras et avec l'affabilité qui convient à un vieux complice, il enchaîna :

— C'est vrai que tu n'es pas au courant ! Les gardes du questeur ont été assassinés. On a retrouvé leurs corps dans des panières à costumes.

— Qui les a retrouvés ?

— Le responsable des costumes !

— Tu le soupçonnes du crime ?

L'édile fit un geste évasif. Marcus prit un air grave et se garda bien de le contredire. Donnant du poids à chaque syllabe, il demanda :

— Quel mobile pouvait le pousser à commettre cet acte ?

— L'argent ! Ce genre de crime est toujours commis par un homme de main payé par le cerveau.

— Qui peut tirer profit de la mort de ces trois gardes ?

— Pour atteindre le questeur, il fallait se débarrasser de ses gardes !

1. Employés d'administration (hommes libres et esclaves).

— Je vois que tu as une piste et que tu te débrouilles très bien tout seul ! Pourquoi as-tu fait appel à moi ?

— Ta réputation ! Ton intégrité ! Si tu arrives à une conclusion, elle sera irréfutable.

— Oui ! Seulement moi, je n'ai aucune idée de l'identité des personnes qui pouvaient en vouloir au questeur au point de le tuer !

— Tu penses donc qu'il est mort ?

— Tu as une autre réponse à proposer ?

— Il n'avait pas la réputation d'un homme très honnête. Un scandale avait déjà éclaté à *Arelate*[1] où un plaideur mécontent a inscrit sur une pierre du forum : « Jugement d'Atleas, jugement de scélérat. » On dit qu'il a beaucoup de biens cachés en Italie. Il ne connaissait pas le sujet du mime auquel il était convié. A la fin du prologue, il a pris peur, il a fait le rapprochement entre Laureolus et l'homme qu'il venait de condamner. Il a craint que l'impartialité de son verdict ne soit mise en cause. Surtout quand il t'a vu dans la loge d'honneur !

— Tu m'as utilisé pour jouer les épouvantails !

— Non ! Pour relever les incohérences.

— Ce genre de spectacle est toujours incohérent, mais le tribunal n'est pas une scène de théâtre ! Je ne comprends pas. Tu me demandes mon aide pour chercher l'assassin d'Atleas...

— Il ne peut être question d'assassin tant qu'on n'a pas retrouvé le corps et...

— ... et en même temps tu te dévoiles à mes yeux comme étant l'ennemi d'Atleas !

— Tout le monde était l'ennemi d'Atleas ! Mais

1. *Arelate* : Arles (Bouches-du-Rhône).

moi, pour le confondre, j'ai besoin qu'il soit vivant et présent. Je ne gagne rien à sa disparition. Crois-moi ! Je veux le retrouver et je le retrouverai !

— Le confondre ? Aurais-tu des choses précises à lui reprocher ?

— Des transactions pas très nettes dans le domaine des travaux publics ! Et cette condamnation bâclée de Laureolus. Il y a des coïncidences bizarres entre les prétendus crimes de Laureolus et les acquéreurs de biens publics qui portaient ombrage à Atleas ! Je ne sais rien de précis. Rufus était plus en rapport avec Atleas que moi.

— Où puis-je me renseigner sur les transactions immobilières qui se sont faites dans la région ces derniers temps ?

— Au *tabularium*[1] ! tu trouveras toutes les archives publiques. Tu n'as qu'à les consulter. Je te fournirai les explications que tu souhaiteras.

— Tu ferais bien de ne pas perdre de temps et de retrouver Atleas !

— Tous mes sbires sont à sa recherche. Ils ont ordre de le ramener, mort ou vif !

— S'il est vivant, je ne vois pas sous quel prétexte tu peux obliger un questeur à suivre tes gardes ! Il a le droit de quitter un spectacle qui lui déplaît ! Parmi les trois cadavres découverts ce matin, as-tu reconnu le garde qui était venu te prévenir de la disparition d'Atleas ?

Avec cette question posée à brûle-sayon, Marcus avait produit le choc escompté. L'espace d'un éclair, le regard de l'édile se troubla. Maxumus se trouvait brutalement jeté hors de sa route.

1. *Tabularium* : édifice public contenant le cadastre gravé sur pierre.

— Bien sûr ! déclara-t-il avec une conviction appuyée.

— Bien sûr, il avait perdu ses deux compagnons, mais l'assassin les a tués tous les trois au moment où il venait de les retrouver. Je voudrais voir les corps !

— Bien sûr ! Ils sont dans le cul-de-basse-fosse de la prison. On doit les enterrer demain matin. Allons-y ! Je t'accompagne.

— Non ! J'ai un rendez-vous que je ne peux remettre. Eux, ils peuvent attendre ! Je serai de retour dans une heure.

— Bien sûr ! Mais tiens-moi au courant de toutes tes découvertes ! Si nous voulons avancer, il ne faut rien nous cacher !

— Bien sûr ! renchérit Marcus, il ne faut rien nous cacher !

Une idée venait de traverser la pensée de Marcus : l'assassinat d'Atleas (car il était maintenant persuadé que la version de Nestor était la bonne) avait dû être soigneusement préparé. Il était donc logique que l'instigateur de ce crime ait voulu en premier lieu se débarrasser de la garde personnelle du questeur pour la remplacer par des hommes à lui. Mais cet instigateur, pouvait-il être Rufus ? Maxumus ? Ou un homme que le juge Atleas avait condamné et qui s'était vengé ? Et si Maxumus avait vu juste ? Si Atleas avait monté toute cette embrouille pour fuir avec son magot avant que ses malhonnêtetés ne soient découvertes ? Non, cette dernière hypothèse ne cadrait pas avec le récit de Nestor. Maxumus devait avoir ses raisons pour conduire Aper sur une fausse piste. Mais que venait faire Duvius, alias Laureolus, dans tout ceci ? Et le condamné n'avait plus que sept jours à vivre !

Telles étaient les réflexions de Marcus tandis qu'il marchait à grands pas vers la domus mise à la disposition des hôtes de marque. Arrivé dans le péristyle, il se présenta au planton qui montait la garde devant l'appartement du magistrat et demanda à être reçu par le décurion de la garde personnelle du questeur.

Le décurion reçut Marcus dans la pièce d'entrée encombrée de bagages. L'homme n'était pas jeune. Sans doute était-il un ancien primipile de la légion, un vétéran rengagé.

— Je ne survivrai pas à cette honte ! dit-il. Je me dois d'aller solliciter ma sanction auprès du proconsul de la Narbonnaise.

— Il y a plus urgent ! grogna Marcus. Il faut retrouver le corps d'Atleas !

— Des sept gardes qui me restent, six sont en permanence en train de battre la campagne. Ils ont fouillé les berges de la Meyne, exploré les vignes et les plantations d'oliviers : rien ! Autant chercher une fibule dans une botte de foin ! Je dois retourner à Narbo Martius !

— Fais ce que tu crois devoir faire ! Mais avant, je dois te demander de m'accompagner à la prison de la basilique civile pour reconnaître les trois hommes de la suite du questeur.

— Il me manque trois hommes et les cadavres portaient notre chlamyde !

— Comment t'expliques-tu qu'on les ait retrouvés dans les coulisses du théâtre ?

— Avant la représentation, ils avaient ordre d'inspecter les loges d'artistes et les magasins de décors. Atleas avait beaucoup d'ennemis ; il redoutait les bains de foule. Le duumvir d'Arausio a voulu qu'on prenne un maximum de précautions.

— Le duumvir ? C'est plutôt au chef de la police urbaine, à l'édile, de prendre ces mesures !

— L'ordre était signé par le duumvir.

— Le questeur était-il en bons termes avec Rufus ?

— D'après ce que j'ai entendu dire, ils avaient de graves sujets de discorde.

— Avait-il de bons rapports avec l'édile d'Arausio ?

— Pas de rapports du tout ! C'est un trop petit personnage pour que le questeur lui ait porté de l'intérêt. Maître Aper, je connais ta réputation ! Tu es l'avocat de qui dans cette affaire ?

— De personne ! Il n'y a pas crime, il n'y a pas de cadavre ! Il ne peut pas y avoir d'inculpé !

— Si, il y a trois cadavres ! Mes gardes !

— Justement, je voudrais bien savoir si ce sont tes gardes qui ont été retrouvés dans les panières ! Allons, fais sceller deux chevaux et montons au capitole !

La rheda n'était plus dans la remise. Marcus passa en coup de vent dans son appartement ; Nestor n'y était pas. Il n'avait pas laissé de message. Marcus griffonna sur une tablette : « Retrouvons-nous, à la fin du spectacle, dans la voiture, à l'endroit habituel. » Il posa la plaque de cire sur le guéridon.

Aper et le décurion arrivèrent à la basilique alors que les sénateurs en sortaient pour aller au théâtre. L'édile vint au-devant d'Aper et, comme convenu, ils descendirent à la prison.

Les trois cadavres étaient étendus sur des planches, dans une cellule, au sous-sol de la basilique. L'édile donna ordre au geôlier d'enlever le drap qui recouvrait les corps.

— Les reconnais-tu ? demanda Marcus au décurion.

— Il n'y a pas de doute possible. Je suis venu à Arausio avec ma décurie. Je connais tous mes hommes. Ce sont ces trois-là qui ont été désignés pour escorter le questeur. Et c'est moi qui vais devoir prévenir leurs familles.

— C'est étrange ! fit remarquer Aper à l'édile, ces deux-là ont une minuscule blessure en plein cœur, comme s'ils avaient été mortellement frappés à l'improviste par un poinçon ou un stylet ; aucune trace de lutte. Tandis que le troisième est plein d'ecchymoses et porte autour du cou des traces de strangulation !

— Sans doute, répliqua l'édile, a-t-il vu l'agresseur de ses compagnons et s'est-il jeté sur lui ! Ils se sont battus, l'assassin a fini par le tuer lui aussi et s'est enfui.

— Sans que personne s'aperçoive de rien dans le théâtre ? A quelle heure les gardes devaient-ils inspecter les coulisses ?

— Une demi-heure avant le début du spectacle ! répondit le décurion.

Marcus marchait de long en large en frisant sa moustache. Après un temps, il dit :

— Ça ne tient pas debout ! A cette heure-là les artistes sont dans les loges et les machinistes à leurs postes. Maxumus, as-tu interrogé le personnel du théâtre ?

— Oui ! et j'ai gardé en cellule le costumier qui a découvert les cadavres.

— Puis-je lui parler ?

— Je t'accompagne.

Marcus ne quittait pas des yeux le corps marqué d'ecchymoses. L'édile était déjà sorti du cul-de-basse-fosse, le geôlier remettait un drap sur un des cadavres quand Marcus remarqua le poing serré du mort par strangulation. Il s'approcha, et à grand-peine écarta les doigts rigides comme ceux d'une statue. Le mort avait gardé dans sa main une fibule arrachée à son adversaire pendant la lutte. Marcus vit avec stupéfaction qu'il s'agissait d'une broche cruciforme identique à celle utilisée par les gardes du questeur pour attacher leur chlamyde. Il glissa l'objet dans la bourse suspendue à son ceinturon, et il sortit. Le geôlier ferma la grille de la morgue et ouvrit celle de la cellule du costumier.

— C'est une honte ! cria le prisonnier, pourquoi m'avoir enfermé ? Je ne suis pas un criminel ! Si j'avais su, je les aurais balancés dans la Meyne et je n'aurais rien dit du tout !

— Si tu avais fait cela, tu aurais été complice du meurtre ! rétorqua Marcus, alors que tu as agi en honnête homme ! Nous ne te demandons que de répondre à quelques questions !

— Je suis venu de moi-même pour prévenir. J'ai déjà répondu aux questions et on m'a mis en prison ! Je ne dirai rien tant qu'on me gardera ici !

— Je t'ai promis que si tu prouvais ton innocence, tu serais relâché ! rétorqua l'édile.

— Comment prouver mon innocence ? Je sais que je ne les ai pas tués ! Vous devez me croire ! Pourquoi les aurais-je tués ? Je n'ai jamais tué personne !

— Tu as forcément vu l'assassin ! reprit l'édile en fixant le prisonnier. Si tu le connaissais, dis-nous son nom ! Si tu ne le connaissais pas, décris-le : son âge, sa taille, ses vêtements, sa couleur de cheveux...

— Je ne l'ai pas vu ! J'ai trouvé les corps dans les panières !

— Qui les y a mis ?

— L'assassin, pardi !

— Comment le sais-tu, si tu ne l'as pas vu ? Où étais-tu ?

— Dans la loge de Laureolus !

Maxumus haussa les épaules, jeta un regard à Marcus et se dirigea vers la grille :

— Il n'y a rien à en tirer ! Pour moi, l'assassin n'a pu commettre ses crimes qu'avec la complicité de cet homme ! Viens, Marcus ! Le spectacle continue ! Nous devons rejoindre la loge avant l'arrivée du duumvir.

— Aide-moi ! sanglota le prisonnier en saisissant violemment la main d'Aper.

— En voilà un qui a raté sa vocation, il aurait dû être tragédien ! ricana Maxumus en faisant signe au geôlier de refermer la grille derrière eux.

Dans l'étroit couloir voûté, Aper passa devant ses compagnons et leur barra le passage pour les obliger à répondre à ses questions. Il s'adressa en premier au centurion :

— Est-ce l'un de ces trois hommes qui est venu t'apprendre la disparition du questeur ?

— Personne ne m'a averti. Je pensais qu'il était allé directement à la réception avec ses trois gardes. C'est en ne les voyant pas rentrer que j'ai été pris de panique et que j'ai envoyé un peloton à leur recherche. Le questeur et ses gardes étaient introuvables. Ce n'est que ce matin qu'un employé municipal m'a informé de la mort de mes trois hommes. Mais je ne sais toujours rien de ce qui est arrivé au questeur.

— Tu trouves normal qu'un de tes subordonnés soit allé prévenir l'édile d'Arausio de la disparition du questeur de la Narbonnaise avant d'en informer son supérieur hiérarchique ? Il est encore plus invraisemblable qu'on ait retrouvé son cadavre avec les cadavres d'hommes qui avaient disparu avant lui, puisqu'il avait fait part de leur disparition à l'édile ! Maxumus, es-tu certain que l'homme mort par strangulation est bien celui qui est venu t'avertir ?

Avant de répondre, Maxumus eut un geste évasif :

— Il était grand, jeune, fort, il portait la chlamyde vert et bleu de la suite du questeur... Tous ces jeunes gens se ressemblent !

— Et toi, centurion ! es-tu certain que ces trois hommes morts étaient chargés d'accompagner le questeur au théâtre ?

— Je suis formel !

— Alors, reprit Aper, je ne vois qu'une seule explication : l'homme qui est venu te trouver est un civil qui avait revêtu la chlamyde des gardes. C'est lui l'assassin ! C'est la raison pour laquelle il ne s'est pas présenté au décurion. Il faut le retrouver ! Et ça, c'est votre affaire ! Moi, je veux voir le spectacle. Je commence à m'intéresser aux crimes de Laureolus !

— Je t'accompagne ! dit l'édile.

Chemin faisant, Maxumus demanda à Marcus comment il se faisait que son inséparable affranchi ne l'accompagnait pas.

— Sans doute avait-il mieux à faire ! se borna à répondre l'avocat.

L'antipathie que Maxumus inspirait à Nestor était réciproque.

Le soleil était au zénith. Les spectateurs, dans la cavea bondée, cuisaient tout doucement sous leur couvercle de toile comme un plantureux ragoût dans sa casserole. Le lugubre duumvir venait de prendre place entre Aper et Maxumus. Ce dernier chuchota quelques mots à l'oreille de Rufus. Aper ne put saisir le sens de la phrase, mais ne constata aucun changement d'expression sur le visage du duumvir.

L'ouverture de la deuxième journée du spectacle se déroula suivant la tradition immuable. Dès la descente du rideau, le public délira. Grâce à la sophistication de la machinerie des trappes et des élévateurs, le plancher de la scène s'était transformé en lac. De véritables embarcations, montées sur des roues invisibles et tirées par des filins, semblaient flotter sur les eaux. Les pêcheurs prenaient au filet des naïades nues, et l'incontournable ballet orgiaque s'offrit à l'appétit des voyeurs. L'escalier de la porte royale ruisselait d'eau, quand apparut Laureolus, comme émergeant d'une cascade. Après d'interminables acclamations, il déclama la fameuse tirade sur l'attrait du bien des autres :

> « Qu'est-il besoin de se donner le mal
> de pêcher soi-même
> quand on peut sans peine
> s'approprier la pêche de son rival
> alors on n'est plus soumis au hasard
> d'un poisson petit ou gros
> il suffit bien d'user de son poignard
> pour choisir le bon magot. »

Et, sur cette conclusion édifiante, saluée par les bravos du public, Laureolus se mit en devoir d'occir les pêcheurs pour leur voler leurs prises. Au plus fort de la bataille, où la peinture rouge se mêlait à l'eau du bassin, Marcus restait les yeux braqués sur la tenture fermée de la loge qui lui faisait face. Il se demandait pourquoi, aujourd'hui, le condamné avait été privé de spectacle ?

C'est alors que, profitant du tumulte de la bataille navale, où résonnaient les chocs des armes et des embarcations, les cris des combattants scandés par des coups de cymbales, l'édile et le duumvir, l'un après l'autre, cédèrent leur fauteuil à un spectateur du deuxième rang, et s'éclipsèrent de la loge. La disparition du questeur était connue de tous les occupants de la loge d'honneur. Il ne parut donc pas étonnant que deux magistrats aient plus urgent à faire que d'assister à une représentation théâtrale. Mais Marcus n'apprécia pas que ces deux personnages, qui avaient sollicité son aide, lui fassent tant de mystères. Il leur emboîta le pas. Rufus semblait avoir retrouvé une impétueuse vitalité, il dévalait l'escalier à toutes jambes. En bas de la voûte, deux voitures attendaient, chevaux naseaux à naseaux. Aper vit les deux hommes monter chacun dans une voiture et s'éloigner, l'un vers le levant, l'autre vers le couchant.

Marcus se dirigeait vers l'écurie, où il avait laissé son cheval en arrivant avec le centurion, quand il entendit crier son nom. Il se retourna et découvrit Nestor aux prises avec deux gardes municipaux. Nestor bégayait d'indignation :

— Ces deux abrutis n'ont pas voulu me laisser monter dans la loge d'honneur et ils ont refusé d'aller te porter un message !

— Les ordres sont les ordres ! rétorqua un garde moustachu qui ponctua sa dernière phrase d'un geste menaçant : Tu vas sur-le-champ t'excuser pour tes insultes !

— Aper ! c'est urgent, il faut que je te parle ! gémit Nestor en essayant de dégager son poignet prisonnier de l'énorme paume de l'autre garde.

Aper s'avança calmement :

— Je comprends, dit-il aux gardes, que vous obéissiez aux ordres et que mon secrétaire vous ait paru suspect, mais il m'obéissait et nous avons une mission à accomplir sur ordre de l'édile. Veuillez avoir l'obligeance de lâcher son poignet et d'oublier cet incident !

— Sur ordre de l'édile ? fit un garde suspicieux.

— Je suis l'avocat Marcus Aper et cet homme que vous molestez travaille pour moi. Il voulait me joindre, il m'a joint sans enfreindre vos consignes ! Tout est rentré dans l'ordre ! Salut !

— Salut ! répétèrent les gardes en allant reprendre leur faction de chaque côté du porche.

— Viens ! dit Nestor, la voiture est à trois pas, nous y serons mieux pour parler.

A peine avaient-ils fermé le portillon de la rheda que Nestor lança comme un boulet :

— Laureolus a disparu !

Aper commença à se poser des questions sur l'équilibre mental de son affranchi.

— Laureolus ? Tu dis n'importe quoi ! Quand j'ai quitté la loge, il s'agitait dans l'eau avec ses petits camarades !

— Non ! pas ce Laureolus-là, l'autre ! Le vrai, le condamné !

— Tu veux dire le faux Laureolus ? Il s'appelle Duvius !

— Comment le sais-tu ? Enfin, bref, Duvius s'est évadé !

— Je l'ai vu hier dans la loge en face de moi, il était flanqué de quatre gardes. Comment aurait-il pu échapper à quatre gardes à la fois ?

— Et aujourd'hui, il était flanqué de quatre gardes ?

— Hier, il a troublé la représentation en manifestant bruyamment. Les gardes l'ont fait sortir. On l'a tout simplement reconduit dans son cachot où on a dû trouver plus prudent de le laisser enfermé !

— Il s'est échappé, je te dis !

— Et les gardes l'ont laissé faire ?

— C'est justement là que se situe toute l'embrouille : les gardes n'étaient pas des gardes !

— Tu m'inquiètes, Nestor ! Tu dois manger de drôles de champignons !

— Je n'ai pas mangé de champignons, j'ai mangé un cassoulet avec le planton de la maison du questeur.

— Et alors ?

— Alors, il boit beaucoup de vin de pays et il a la parole facile.

— Alors ?

— Ce matin, vers la cinquième heure, le décurion a réuni ses sept hommes. *Sept*, forcément, puisqu'ils sont venus à dix, et qu'il y en a trois de morts ! Le centurion les a envoyés battre la campagne pour retrouver les traces du questeur. Ils ont inspecté les berges de la Meyne, interrogé des paysans. Ils ont même fouillé le bois près du pagus Minervus. Et là, ils ont vu un homme qui courait à toutes jambes et qui portait la même chlamyde qu'eux. Ils se sont comptés, ils étaient toujours « sept ! » Le faux garde avait disparu. Ils n'ont pas pu le rattraper. Ils sont rentrés pour avertir leur décurion. Qu'est-ce que tu en penses ? Moi, je crois qu'il y a une bande de voyous qui se déguisent en gardes municipaux et en gardes de la maison du questeur !

— Si tu dis vrai, il y a une véritable armée à la solde de quelqu'un ! Mais de qui ?

— Pourquoi pas de l'édile ? C'est tout simplement un des voyous à sa solde qui est venu l'avertir que le travail avait été exécuté selon ses ordres pour le questeur. Trois faux gardes du corps avaient assassiné les trois vrais. Pendant le spectacle, ils ont planté un stylet dans le cœur du questeur. Ensuite, ils ont attendu que la cavea se vide et ils ont embarqué le corps du questeur le temps que je vienne te chercher. Ni vu ni connu, je t'embrouille ! Quand nous sommes revenus, le corps s'était volatilisé.

Aper frisait avec application la pointe de sa moustache sur son index gauche.

— Possible ! dit-il. Mais il reste à le prouver. Et Duvius ?

— Par Taranis ! c'est enfantin : on le retrouve dans quelques jours, les crimes ont été commis pendant qu'il jouait de la flûte de l'air, et on lui fait une fois de plus porter le *cucullus*[1] ! Ses gardes étaient eux aussi des faux gardes chargés de le faire évader ! C'est clair, non ?

— Nestor, tu as raté ta vocation, tu devrais écrire un mime !

— Qu'est-ce qu'on fait ?

— On va chez Tuccia !

— Tuccia ?

— L'épouse du duumvir ! Je t'avais chargé de découvrir sa nouvelle adresse.

— Il paraît qu'elle prend les eaux à *Aquae Sextiae*[2]. C'est le barbier qui le dit. Tout le monde le sait. Et je ne sais rien de plus !

— Allons à Aquae Sextiae !

1. *Cucullus* : capuchon, capuche.
2. *Aquae Sextiae* : Aix-en-Provence (Bouches-du-Rhône).

— Boire de l'eau chaude ? Beurk !

— Voir Tuccia ! L'édile dit qu'elle a un joli nez !

— On ferait peut-être mieux de s'intéresser à cette armée de faux gardes ?

— Il est plus important de découvrir qui est leur général. Allez ! monte sur ton siège, et en route !

La rheda avait pris la direction du sud. Aper se pencha pour extirper un petit coffre de bronze qui était enfoui sous la banquette de la voiture. Il l'ouvrit et déroula le *volumen*[1] qu'il contenait. Il étala la carte sur ses genoux. En effet, lors de son passage à l'université d'*Augustodunum*[2], il s'était fait un devoir de recopier l'itinéraire des routes de Gaule qui était peint sur un des murs de l'école. Des tours représentaient les cités et des maisons symbolisaient les villages. Tours et maisons étaient reliées par des traits figurant les routes et portant l'indication des distances. Il mit l'index sur Arausio, glissa le doigt et compta 68 milles jusqu'à Aquae Sextiae par l'ancienne voie ligure qui passait à *Carpentorate*[3]. Il ne pouvait pas espérer arriver à l'hôtellerie des thermes avant le petit jour, en sachant qu'il fallait changer de chevaux aux relais tous les 10 milles (14,8 km).

Aper ne savait pas très bien pourquoi son intuition

1. *Volumen* : rouleau de papyrus.
2. *Augustodunum* : Autun.
3. *Carpentorate* : Carpentras.

le poussait à aller voir Tuccia. Il n'y avait aucune chance pour qu'elle soit au courant des meurtres commis à Arausio. Il voulait connaître la vraie raison qui avait conduit l'épouse de Rufus à quitter son mari. Marcus retira sa toge et s'allongea en tunique sur la banquette. Il s'endormit, et Nestor se garda bien de le réveiller à chaque fois qu'il s'arrêtait dans une *mutatio*[1].

Au loin, vers le levant, la pâle lueur de l'aube nimbait les cimes du *mons Vintur*[2] quand ils longèrent la nécropole d'Aquae Sextiae et passèrent sous l'arche centrale de la porte du decumanus. Ils s'arrêtèrent dans la cour de l'hôtellerie qui jouxtait l'établissement thermal. De nombreux esclaves vaquaient aux occupations du matin. L'auberge était fréquentée par des hôtes de marque attirés par la renommée des sources d'eau chaude. A l'inverse d'Arausio, Aquae Sextiae n'avait pas accueilli de colons. La population était composée d'indigènes ligures qui pratiquaient l'élevage et la culture, et d'une aristocratie de riches Romains qui s'adonnaient au commerce en gros avec l'Italie, l'Aquitaine, et la Celtique par la vallée du Rhône. C'était une ville de transitaires, de banquiers et de curistes.

Dès qu'ils furent dans leur chambre, Nestor, qui titubait de fatigue, se fit monter des galets chauds enroulés dans un linge et un nécessaire à raser. Pendant que Marcus, penché sur un trépied supportant un bassin d'eau fraîche, s'aspergeait le visage et se rinçait la bouche, Nestor se mit en devoir de glisser un gros galet chaud sur le tissu fripé de la tunique et de la toge de son maître. Ensuite, il enduisit les joues

1. *Mutatio* : relais.
2. *Mons Vintur* : montagne Sainte-Victoire.

de l'avocat avec la pâte brunâtre du savon gaulois et saisit le rasoir en demi-lune. Par deux fois, l'instrument lui glissa des mains, laissant un filet rouge sur la peau de Marcus.

— Dors ! Tu es mort de fatigue ! grogna Marcus en s'habillant, je reviendrai te chercher dans deux heures.

Aper se fit servir un copieux en-cas de charcuterie, de fromages et de galettes dans le péristyle de l'auberge, avala d'un trait un pichet de cervoise et se dirigea vers les thermes.

Dès qu'il eut gravi les marches du portique, Aper se sentit happé dans un tourbillon de luxe et de beauté : la délicatesse des nuances des putti et des guirlandes peints sur les murs, la majesté des longues enfilades de colonnes de marbre, la richesse des mosaïques du sol et, partout, des vasques d'où jaillissait l'eau fumante venant des entrailles de la terre. Se sentait-il arverne, se sentait-il romain, dans ce monde qui était le sien ? C'était ici, il y avait de cela cent quatre-vingt-dix-neuf ans, presque deux siècles, que le général romain Haenobarbus avait défait Bituit, le roi des Arvernes. En vérité, c'était ici qu'avait commencé la conquête de la Gaule par les Romains. Le sang de ses ancêtres arvernes de Gergovie coulait dans ses veines et pourtant il était fier d'être citoyen romain. Il avait fait sienne la culture des anciens Romains dont il parlait la langue. Il aimait vivre sous le principat de Vespasien qui avait su rendre la paix à la Gaule en étouffant les révoltes des Lingons et des Trévires et qui, inlassablement, travaillait à la richesse de l'Empire et, soit dit en passant, à la sienne en particulier.

Et c'était bien là le drame du temps, la cour copiant l'empereur et la province imitant la cour, il n'était pas dans tout l'Empire de fonctionnaire qui n'utilisât sa fonction pour faire sa fortune. Et c'était ici, plus que partout ailleurs, que s'étalait la richesse. Des hommes nus, aux ventres rebondis entourés de draps blancs, se saluaient dédaigneusement en affichant la satisfaction d'eux-mêmes peinte sur leur visage. De-ci, de-là, un maigrelet s'affairait en obséquiosités appuyées pour soutirer un dîner ou une faveur à un obèse condescendant et agacé. Marcus venait de découvrir sa proie. Il pensa *in petto* que ce chauve efflanqué qui venait de se faire éconduire par son interlocuteur allait devenir sa source de renseignements. Il alla au comptoir, se fit servir deux verres de cet insipide breuvage tiédasse et en tendit un au pauvre individu qui lui tournait le dos en scrutant l'horizon à la recherche d'un bienfaiteur.

— C'est bien aimable à toi ! dit le chauve au teint jaune. On se connaît ?

De mémoire de sa chienne de vie il n'avait jamais été l'objet de pareille attention.

— Ce poison est déjà dur à avaler ! rétorqua Marcus avec un bon rire, mais le boire seul est au-dessus de mes forces ! Tu m'as paru sympathique ! Je suis entrepreneur de constructions ! Je cherche des clients, tu m'as paru avoir beaucoup de relations ! On m'appelle Agathropus. Je suis d'Arausio.

— Heureux de te connaître, on m'appelle Careius ! Tu ne pouvais mieux tomber, je suis l'intermédiaire le mieux achalandé.

— Intermédiaire en quoi ?

— En tout ! Je trouve tout ce qu'on cherche, et je procure tout ce qu'on veut !

— Même des commandes dans le bâtiment ?

— Comme tu y vas ! Tu navigues dans les hautes sphères ! Pour cela, il faut des relations bien placées.

— Bien placées ?

— Des officiels : duumvir, édile, questeur ! C'est eux qui délivrent les permis de construire, et pas de permis sans cracher dans la bassine ! Donnant, donnant ! Tu as les moyens ?

— Ce n'est pas un problème pour moi !

— C'est un bon point de départ ! fit-il d'un air dégagé, et tu voudrais que je fasse tout le travail ? J'aurais beaucoup de frais. Peut-être pourrions-nous en parler devant un bon ragoût ?

— Choisis la meilleure table, et on s'y retrouve à la cinquième heure !

— Les bonnes tables, ça me connaît ! Disons au *Nigro Pullo*[1], je suis un habitué !

Marcus lança un œil attendri sur la panse concave de son compagnon et tous deux se séparèrent, chacun se félicitant d'avoir déniché son pigeon.

L'avocat poursuivit sa visite des lieux. Il traversa la palestre et alla se plonger avec délices dans la vaste piscine d'eau tiède, où les impassibles dauphins de la mosaïque semblaient inlassablement contempler les bedons des nageurs qui flottaient au-dessus de leurs têtes.

Avant de passer au vestiaire, il déambula dans le péristyle intérieur, louvoyant à travers les groupes et tendant l'oreille pour saisir des bribes de conversation. Contrairement à ce qu'il avait imaginé, la nouvelle de la disparition du questeur courait insidieusement de bouche à oreille. Il lui sembla remarquer que l'information était commentée par des propos qui se voulaient indifférents mais qui laissaient des stig-

1. *Nigro Pullo* : Au poulet noir.

mates d'inquiétude sur les visages. Quelle ne fut pas sa surprise, en traversant le portique, de découvrir Nestor buvant un verre d'eau chaude en compagnie de Careius ! Il descendit les marches sans être vu par Nestor, contourna l'édifice et constata que le portique des bains réservés aux femmes était désert. Les élégantes ne se rendaient aux thermes qu'après le repas de la mi-journée. Le matin, ombrelles ouvertes et loulous en laisse, elles se faisaient voir le long de l'allée ombragée de la promenade. Mais comment reconnaître et aborder Tuccia ? Il retourna à l'hôtellerie attendre Nestor avant de se rendre à son dîner d'affaires...

Nestor arriva de très bonne humeur :

— Ici, on s'amuse plus qu'à Arausio, on s'y fait vite des amis !

— Des amis ? demanda Marcus.

— J'ai rencontré un homme très sympathique, tu vois, le genre d'homme qui connaît tout le monde ! Il a remarqué que j'étais perdu, que je cherchais quelqu'un, et il a tout de suite proposé de m'aider. Il m'a même invité à dîner !

— Au *Nigro Pullo*, je parie ?

— Comment le sais-tu ? Il veut me présenter à un de ses vieux amis !

— Et c'est le vieil ami qui paiera l'addition ! Cet ami, il ne s'appellerait pas Agathropus, par hasard ?

— Tu le connais ?

— Agathropus ? Très bien, c'est moi !

Les deux amis éclatèrent de rire. Nestor enchaîna :

— Careius t'a aussi invité à dîner ?

— Disons plutôt qu'il s'est invité et qu'il a trouvé

le moyen de te faire une politesse qui ne le ruinerait pas ! Mais que lui as-tu raconté pour qu'il te trouve si intéressant ?

— Moi, je n'ai pas eu besoin de m'inventer une identité grecque, je lui ai dit que je m'appelais Nestor et que j'étais l'affranchi de l'avocat Marcus Aper. Alors, il m'a prié d'amener mon maître au dîner...

— Voilà qui simplifie tout ! Je ne comprends pas où était son intérêt en invitant un avocat ?

— Parce que j'ai tout de suite jugé notre homme et que je me suis inventé un petit négoce qui a éveillé son attention. J'achète et je vends des pièces d'argenterie, des statuettes de bronze et autres objets d'art !

— Comme tu y vas ! Pourquoi pas receleur pendant que tu y es ! Moi, là-dedans, qu'est-ce que je faisais ?

— Rien ! Tu payais l'addition !

— Et Agathropus ?

— Careius est du genre prudent, il vaut mieux deux payeurs que pas du tout ! Nous ne devions parler de rien devant l'avocat, mais après le repas, Careius devait me présenter à une dame très riche de ses amis qui est amateur d'orfèvrerie. Et cet amateur de pièces rares n'est autre que la femme du duumvir d'Arausio ! Qu'en dis-tu ?

— Je dis qu'il me paraît difficile que tu viennes à ce dîner avec Marcus Aper, étant donné qu'Agathropus y sera ! Tu vas te décommander !

— Impossible ! J'ai faim ! Je veux aller au *Nigro Pullo* ! Et ma visite à Tuccia, nous n'allons pas rater ça !

— Je ne peux pas te laisser aller seul chez Tuccia ! Tu crois qu'elle va se confier à un marchand d'antiquités ? Qu'as-tu comme pièces rares à lui proposer ?

— Elle ne cherche pas à acheter, mais à vendre ! Tu as tout gâché ! Pourquoi as-tu inventé ce nom idiot ?

— J'ai mes raisons. J'attends beaucoup de ce déjeuner ! Tu ne peux pas venir.

La bonne humeur de Nestor avait fait place à une rage boudeuse. D'un ton qui n'admettait pas de réplique, Aper ordonna à son factotum de filer à la taverne et d'y laisser un message pour Careius :

— Écris-lui que tu ne peux te libérer dans l'immédiat et que tu le retrouveras à l'heure de la méridienne sous le portique des thermes pour qu'il t'accompagne chez Tuccia.

— Et où je déjeune ?

— Aquae Sextiae ne manque pas de cabarets !

— Je n'aime pas manger tout seul !

— Tu crois que cela m'amuse d'inviter ce pique-assiette ?

— Et Tuccia, qu'est-ce que je lui dirai ?

— Que tu as pris le premier prétexte pour la rencontrer parce que ton maître souhaite s'entretenir avec elle.

— Et je dis cela devant Careius ?

— Mais non ! Donne-lui quelques sesterces avant d'entrer chez Tuccia, et dès qu'il aura procédé aux présentations, fais-lui comprendre que tu veux rester seul avec la femme du duumvir. Careius, il s'en moque que tu ne vendes pas d'argenterie, pourvu que tu lui donnes sa petite gratification.

Pendant que Nestor gravait son message dans la cire, Aper tira une poignée de sesterces de sa bourse et posa les pièces sur le guéridon :

— Fais vite ! dit-il. Je pense que cela suffira pour ton repas et pour la commission de Careius.

Aper arriva au *Nigro Pullo* au moment où Nestor en ressortait. Careius l'attendait. Il avait déjà commandé un pichet de vin. Sa mine s'épanouit en voyant arriver son bienfaiteur.

— Une cervoise ! cria Marcus en s'asseyant.

Un serveur vint remettre la tablette de cire à Careius. Celui-ci lut le message et dit d'un air dégagé :

— Un ami qui m'avait convié à dîner, et que j'ai décommandé pour le plaisir d'être avec toi, me fixe un autre rendez-vous. Il s'agit d'une affaire importante que j'ai accepté de traiter pour lui.

Le serveur de sa belle voix grave déclama le menu du jour :

— Le fameux poulet noir à la graisse d'oie et aux girolles ; l'aiguillette de canard dans son jus de pêche ; le sauté d'agneau au miel et aux petits légumes !

Careius avait déjà sorti son couteau pliant et sa serviette de la bourse élimée qu'il portait accrochée à sa ceinture sous une toge rapiécée. Tout ! Il voulait de tout.

Marcus n'était pas là par pure générosité. Il payait des informations qu'il se mit en devoir d'obtenir. En flots continus, la bonne chair passait de l'assiette à la panse de Careius, et les précieux renseignements de la bouche pleine de Careius à l'oreille attentive de Marcus. Tous les efforts de Careius n'avaient qu'un seul but : noyer son bienfaiteur dans l'abondance de détails et de digressions afin que les agapes durent le plus longtemps possible et qu'il ait le temps de s'empiffrer à satiété. Il y avait des lustres que pareille aubaine ne s'était pas présentée ; il lui fallait accumuler des réserves pour un avenir proche qui menaçait d'être rude. Tout le monde l'évitait et plus personne ne le conviait à sa table.

Selon ce curieux personnage, un certain Labienus, un Romain fort riche, de son état armateur à Ostia, avait voulu ouvrir un comptoir de vente en gros à Arausio. Il avait pour cela acheté un terrain situé dans la zone sinistrée par les inondations. Or, ce terrain faisait partie des *areae*, c'est-à-dire des espaces publics occupés de façon illicite par des particuliers. Pour acheter ce terrain, Labienus aurait dû s'adresser au magistrat qui procédait à l'affermage des taxes et rentes dues à la cité. Mais, avant les inondations, ce terrain avait été construit par un certain Valerius Bassus dont on tolérait la présence, sous réserve qu'il s'acquitte chaque année d'une taxe libératoire. Et c'est là que l'affaire se compliquait : le fonctionnaire avait-il versé au Trésor les sommes encaissées, ou les avait-il détournées ? Le bâtiment de Bassus ayant été détruit par les inondations, ce dernier avait vendu son terrain à Labienus, qui avait payé comptant son acquisition. Or Bassus était mort tragiquement au cours d'une partie de pêche et on ne retrouva pas les papyrus qui prouvaient qu'il avait payé les taxes libératoires. Ce n'était pas un cas isolé à Arausio. Au fil de plusieurs procès, le tribunal avait toujours rendu le même jugement : si le terrain était construit, plutôt que d'ordonner l'expulsion, le Trésor trouvait plus lucratif de percevoir une taxe annuelle. Mais à la mort de Bassus, le terrain n'étant pas reconstruit, on avait déclaré la vente entre Bassus et Labienus caduque. Or, Labienus avait bel et bien déboursé son argent et n'était pas homme à se laisser faire. Il voulait reconstruire très vite pour se retrouver dans la situation des autres propriétaires d'areae soumis à la taxe. Mais aucun entrepreneur d'Arausio ne voulait se charger des travaux. En d'autres termes, on lui demandait de grosses sommes d'argent pour lui vendre ce qu'il avait déjà payé.

Marcus avait le coin de la joue tout rose à force de tirer sur sa moustache. Il fit signe au tavernier de lui apporter l'addition, paya, se leva, souleva Careius de son tabouret et, le regardant dans les yeux, lui demanda :

— « On » ? Tu répètes sans cesse « on » ; c'est qui, « on » ?

— Je ne sais pas ! Les responsables du Trésor public de la cité, de la province ? Je ne sais pas !

— Je veux voir Labienus !

— Labienus, tout ce qu'il veut, c'est un entrepreneur ; et tu m'as dit que tu étais entrepreneur ! Quand son bâtiment sera construit, il sera en position de force pour discuter. Reconnais que je t'ai mis sur un bon coup ! Labienus est riche, tu peux en tirer une grosse somme. Il serait honnête que tu me donnes tout de suite ma commission. Je ne pourrai pas t'accompagner, j'ai une autre affaire à traiter. Tu seras plus à l'aise pour discuter si tu es seul avec Labienus.

— Tu ferais mieux d'avouer que Labienus t'a fermé sa porte ! dit Aper en glissant quelques sesterces dans la main de Careius. Où pourrai-je voir Labienus ?

— Il est descendu à l'hôtellerie des thermes pour le temps de sa cure. Tu l'y trouveras maintenant, en bon Romain, il fait toujours méridienne !

Careius essuya la lame de son couteau à sa serviette, le replia, l'enfouit avec la serviette dans sa bourse, but les quelques gouttes de vin qui restaient au fond de son gobelet, et partit en titubant.

En passant devant le cadran solaire scellé sur le mur du péristyle de l'hôtellerie, Marcus réalisa qu'au théâtre d'Arausio la troisième journée du *Laureolus* avait déjà commencé. Comment Rufus et Maxumus interpréteraient-ils son absence ? Dès son retour il ferait croire à chacun d'eux qu'il avait travaillé pour lui. Il attendait beaucoup de cette entrevue avec Labienus, et tout bien pesé, il alla trouver l'esclave chargé de l'accueil des hôtes et le chargea d'aller dire à Labienus que l'avocat Marcus Aper souhaitait le rencontrer. Il ne convenait plus de prolonger la comédie de l'entrepreneur de travaux publics ; si un magouilleur comme Careius n'eût jamais été aussi bavard avec un avocat, avec Labienus il lui fallait jouer franc jeu.

A en croire l'empressement avec lequel Labienus se précipita dans le péristyle, il devait être bien aise de cette opportunité qui s'offrait à lui de faire la connaissance de Marcus Aper. L'homme qui marchait à grands pas vers Marcus était de haute taille, il avait la charpente solide, le menton volontaire, la voix grave et la diction légèrement populacière. Il affichait l'assurance d'un gladiateur et le sourire d'un histrion. « Il doit plaire aux femmes ! » se dit Marcus un peu sur la réserve. Labienus salua de loin, d'un geste ample, et dit :

— Marcus Aper ! le célèbre avocat ! Ce sont les dieux qui t'envoient. Comment as-tu deviné que j'avais besoin de toi ? Accepterais-tu d'être mon conseil ?

— Allons dans mon appartement ! Nous serons mieux pour parler, se borna à répondre Marcus.

Tout en montant l'escalier, Aper se mit à penser que dans ce scandale où il n'y avait pas de prévenu, trois suspects lui avaient déjà demandé ses services. Mais, au nom de la justice, la seule chose qui lui paraissait urgente était de découvrir le véritable responsable de tous ces crimes, avant la huitième journée du mime qui se jouait au théâtre, avant que ne soit exécutée la sentence de mort. Il fallait arrêter cette macabre mascarade. Il ne laisserait pas Duvius payer pour un autre.

Arrivés dans la chambre, Aper et Labienus s'assirent chacun sur une des deux banquettes adossées aux murs qui se faisaient face.

— Qui t'a mis au courant de mes ennuis ? demanda Labienus.

— J'arrive d'Arausio, répondit Aper en éludant la question. Il s'y passe des choses mystérieuses : des occupants d'areae sont morts de mort violente, le questeur de la Narbonnaise a disparu, les gardes chargés de sa protection ont été assassinés, le condamné à mort dont on relate les forfaits dans le mime qui se joue actuellement au théâtre s'est échappé. Ne trouves-tu pas que tous ces événements semblent étrangement liés à l'acquisition de terrains municipaux ? Comme on m'a dit que tu t'étais toi-même porté acquéreur d'un de ces terrains, je voulais connaître ta version des faits.

— Acceptes-tu de travailler pour moi ?

— Je ne travaille pour personne, je recherche la vérité et je sers la justice !

— Par Esus ! moi aussi, je réclame la justice ! J'exige qu'on me laisse construire sur un terrain que j'ai payé !

— Parle-moi de l'homme auquel tu as acheté ce terrain ! Parle-moi de Bassus !

— J'imagine que tu ne seras pas étonné si je te dis qu'il a été assassiné. Je ne suis pas son assassin ! Tous mes tracas ont commencé le jour de sa mort. Moi, j'avais intérêt à ce qu'il reste en vie.

— A qui sa mort pouvait-elle profiter ?

— D'abord à sa veuve ! Leur fortune revenait au dernier vivant. Elle a gardé le montant de l'acquisition du terrain et prétend ne pas avoir été mise au courant de cette transaction.

— Au tabularium, ton nom doit figurer sur le cadastre ?

— Non ! C'est celui de Bassus qui y figure. Il s'est noyé, ou plutôt on l'a noyé au cours d'une partie de pêche avant que nous n'ayons eu le temps de régulariser.

— Et tu as payé comptant, sans garanties ?

— La transaction s'est faite chez le duumvir. Bassus et moi avons signé un papyrus dont on devait m'envoyer copie. Je n'ai rien reçu. Dans un premier temps le duumvir m'a dit qu'on lui avait dérobé l'original. Comme il ne faisait rien, je suis revenu à la charge. Il a joué les étonnés, il m'a dit qu'il ne voyait pas de quoi je voulais parler, qu'il ne se souvenait pas avoir été le témoin d'une vente entre le défunt Bassus et moi ! J'ai déposé une plainte auprès du questeur de la Narbonnaise, qui m'a fait répondre qu'en l'absence de preuve de mon paiement, pour avoir le droit de construire sur un terrain municipal, je devais acquitter une taxe auprès du responsable des dossiers relatifs aux travaux publics d'Arausio !

— Et ce responsable, qui est-ce, le duumvir ?

— Non ! L'édile d'Arausio ! Plutôt crever que d'aller le voir ! Je ne paierai pas deux fois ! Je veux faire construire ; il y a des précédents, ils ne pourront plus m'expulser. Ils ne peuvent que me condamner à payer une taxe annuelle ! J'aimerais bien savoir où est passé l'acte de vente ! Je ne crois pas le duumvir très net dans cette histoire. Il ment. Il a détruit les preuves.

— Et si c'était l'édile qui les avait subtilisées ?

— Ou le questeur ? Lui, il n'a même pas accepté

de me recevoir. Tous voulaient me faire payer une seconde fois.

— Mais qu'est-ce qui me prouve que tu as vraiment payé ce terrain à Bassus ? Je retourne à Arausio. Tu devrais m'y accompagner.

— J'ai des gens à voir ici. Où pourrai-je te trouver à Arausio ?

— J'ai été invité par le duumvir à la villa municipale pendant la durée des représentations théâtrales.

— Je préfère que nous nous rencontrions ailleurs. Je passe tous les soirs vers la dixième heure à la taverne du marché à l'huile.

Labienus venait à peine de sortir quand Nestor entra dans la chambre. Il ferma la porte, fit signe à Marcus de se taire, retourna à la porte, l'entrebâilla, alla se pencher à la balustrade de la galerie qui surplombait le péristyle, revint affolé, referma la porte et murmura :

— Je suis suivi !

— Quoi ? Nestor, je t'en prie, arrête de fabuler !

— On me suit, je te dis ! J'ai remarqué un homme en pèlerine à capuchon devant la porte de Tuccia. Il y était encore quand je suis ressorti et il est là dans le jardin intérieur !

— Qui pourrait avoir l'idée de te faire suivre ?

— Tu oublies que j'ai dit avoir vu le stylet dans le cœur du questeur !

— Tu es certain que l'homme qui est ici est celui que tu as vu devant la porte de Tuccia ?

— Oui !

— Alors, il s'agit plutôt de quelqu'un qui se renseigne sur les visiteurs de Tuccia. C'est peut-être tout simplement sur l'initiative d'un mari jaloux.

— Si tu dis vrai, tu risques d'être compromis,

Tuccia veut te voir ! Elle t'attend dans sa voiture près de la fontaine, à l'entrée de la promenade. C'est à l'autre bout de la cité. Nous y allons à pied ou en voiture ?

— Nous n'y allons pas ensemble ! C'est le meilleur moyen de savoir si c'est toi que l'on suit. Pendant que je serai avec Tuccia, va regarder les étalages. Emmène ton compagnon le plus loin possible de la promenade, sème-le et reviens atteler la voiture. Dès mon retour, nous repartirons pour Arausio.

— Merci pour moi ! Deux nuits sans dormir ! Tu me gâtes !

Nestor sortit et claqua rageusement la porte. Il n'avait nulle envie de faire la tournée des échoppes. Il se dirigea vers la taverne la plus proche. Il commanda une cervoise, croisa les bras sur la table et s'endormit le nez posé sur son coude. Quand il se réveilla, beaucoup plus tard, l'homme au capuchon, trois tables plus loin, attaquait son sixième pichet de vin.

Marcus avait emprunté la *carruca*[1] de l'hôtellerie pour se rendre à la promenade. Il se fit arrêter près de la fontaine, dit au cocher de l'attendre et s'engouffra dans la voiture de voyage qui attendait, rideaux tirés. Il fallut quelques secondes pour que les yeux de Marcus s'habituent à la semi-obscurité. La jeune femme, qui avait savamment rabattu le pan de son étole bouton-d'or sur les boucles folles de sa toison de jais, avait pour elle beaucoup plus qu'un « joli nez », comme le prétendait Maxumus. Des yeux sombres, aux paupières soulignées de poudre de

1. *Carruca* : voiture de luxe, carrosse.

charbon de bois, jaillissaient avec insolence d'une carnation d'une pâleur extrême. Elle dégagea des plis de son drapé une main fine et potelée qu'elle posa sur la main de Marcus.

— Merci ! dit-elle, sans altérer la gravité impassible de son visage.

— C'est moi qui devrais te remercier d'avoir accepté de me rencontrer. Je pense que si tu as quitté Arausio, c'est pour fuir un climat d'intrigues, et qu'il ne t'est pas agréable qu'un étranger te poursuive jusqu'ici.

— Je suis inquiète pour mon époux. Je te supplie de l'aider. Je crains qu'il ne se soit laissé entraîner à commettre des erreurs.

— Mais toi, crois-tu l'aider en le quittant ?

— Et si cette décision ne venait pas de moi ? Ne me pose pas trop de questions sur ce sujet. Mes réponses risqueraient de faire planer des soupçons sur l'homme que je veux sauver. J'étais très jeune quand Rufus m'a épousée après son veuvage. Nous nous sommes connus en Grèce. J'ai tout de suite été séduite par sa grande intelligence. Quand nous avons quitté Athènes pour Arausio, je n'ai pas voulu croire aux rumeurs qui insinuaient que mon mari quittait les rives hellènes nanti d'une fortune trop rapidement acquise. Je veux le croire honnête. Je ne veux pas savoir d'où proviennent ces sommes énormes investies dans les fêtes en l'honneur de son accession au *flaminium*[1]. Je veux croire qu'il peut tout expliquer, tout justifier. Je crains seulement qu'il ait à le faire devant les juges. Il aura besoin de toi. Mais, comprends-moi, je ne veux pas être mêlée à tout ça.

1. *Flaminium* : fonction, dignité de flamine.

— Est-il exact que tu demandes la séparation ?

— Je veux retourner en Grèce, dans ma famille. Méfie-toi de l'édile ! Il veut la perte de Rufus.

— Tu n'as pas répondu à ma question ! Souhaites-tu le divorce ?

— Je ne peux être que l'épouse d'un homme que je respecte et que j'admire. J'attends !

— Est-ce pour avoir l'occasion d'éveiller mes soupçons à l'égard de ton époux que tu as accepté de me rencontrer ?

— Des soupçons, je veux m'en défendre, mais tout le monde en a ! C'est pour que tu consentes à l'aider que je suis venue. Mais je dois rester à l'écart d'un scandale auquel je ne suis mêlée en aucune façon.

— Est-ce aussi l'avis de tout le monde ?

— Pense à l'édile ! Il a ses raisons pour faire suspecter les autres.

— Connais-tu Atleas ?

— Atleas ?

— Atleas, le questeur de la Narbonnaise !

— Ha, oui ! Forcément ! répondit-elle le plus naturellement sans qu'aucune expression vienne troubler son visage de marbre. Nous avions des relations mondaines.

— Est-il un ami pour toi ?

— Dans notre caste, a-t-on des amis ?

— Que penses-tu de sa disparition ?

— Il est mort. On l'a assassiné.

— Pourquoi l'aurait-on tué ?

— Peut-être savait-il trop de choses !

— Qui aurait pu l'assassiner ?

— Ceux qui redoutaient qu'il parle !

— Moi, je crois qu'il est vivant !

Pour la première fois, une lueur rose filtra, à

travers la poudre de céruse, sur les pommettes de Tuccia. Sa voix trahit un léger agacement :

— C'est stupide ! Son corps a été vu ! L'arme était encore dans la plaie.

— Comment le sais-tu ? Son corps n'a pas été retrouvé !

— Les nouvelles vont vite entre Arausio et Aquae Sextiae. Tu es le mieux placé pour savoir qu'il est mort ! C'est ton affranchi qui l'a vu.

— Tu es curieusement bien renseignée pour quelqu'un qui veut rester en dehors de l'affaire ! Tu es aussi la seule personne qui accepte de croire aux affabulations de mon affranchi.

— Je pense que d'autres personnes ont leurs raisons pour refuser de croire en la vérité.

— Est-il indiscret de te demander qui t'a raconté cette histoire ?

— J'ai des amis fidèles dans la maison du duumvir. Cela t'étonne ? Je crois que nous n'avons plus rien à nous dire ! Encore merci d'être venu jusqu'à moi.

Du revers de la main, elle cogna à la cloison intérieure avec le chaton de sa bague sigillaire. Le cocher vint ouvrir le portillon. Marcus descendit de la voiture et s'inclina pour prendre congé.

La froideur calculatrice de Tuccia avait glacé Marcus jusqu'à la moelle des os. Il pensa qu'elle devait avoir de bonnes raisons pour charger son mari et pour affirmer d'une façon aussi péremptoire qu'Atleas était mort. « Somme toute ! » se dit-il, « le voyage à Aquae Sextiae n'aura pas été inutile ! »

Le cadran de l'hôtellerie marquait la dixième heure, et déjà la rheda roulait vers Arausio.

— Alors ! cria Marcus, ton homme en pèlerine à capuchon ?

— Je ne serais pas étonné qu'il soit dans la voiture qui nous suit ! rétorqua Nestor en faisant claquer son fouet.

Et il ajouta :

— Accroche-toi bien !

Soudain, le pauvre Marcus eut l'impression d'être enfermé dans un sac de noix, à l'arrière du char de Scorpus, le champion de biges aux mille victoires ! Le cisium, voiture légère et rapide qui suivait la rheda, n'était attelé qu'à un seul cheval. Les deux roues de bois jantées de fer du cisium bondissaient de bosses en ornières, comme prêtes à l'envol. Les villageois regardaient atterrés les deux bolides qui traversaient les hameaux dans un assourdissant orage de poussière. Les dieux eurent enfin pitié des chevaux de Nestor et des abattis de Marcus, une roue se détacha du cisium. Un fracas de fin du monde retentit, puis on entendit un hennissement de cheval et enfin plus rien, ce fut le silence. Nestor mit son attelage au pas jusqu'au prochain relais.

Il restait encore un bonne partie de la nuit pour dormir quand les voyageurs arrivèrent à la domus d'Arausio.

Aper fut réveillé en sursaut par de violents coups frappés à la porte de sa chambre. Il avait à peine eu le temps de reprendre ses esprits que déjà Nestor bondissait de sa couche et tournait la clef dans la serrure. Maxumus entra et referma la porte. L'avocat, qui dormait nu, avait enroulé un drap autour de lui.

— Je croyais que l'on devait tout se dire ! aboya l'édile. Hier, je t'ai cherché. Où étais-tu passé ?

— Tu ne dois rien ignorer de nos faits et gestes. L'homme qui nous suivait a dû te renseigner ! riposta Nestor.

— Aper, je t'en prie, fais-le taire ! C'est à toi que je m'adresse ! De quel homme parle-t-il ? Pourquoi t'aurais-je fait suivre ? Je croyais que nous travaillions ensemble !

Marcus fit signe à Nestor de ne plus intervenir. Il s'aspergea le visage avec de l'eau fraîche et dit :

— C'est un fait, nous avons été suivis.

Sans perdre un mot de la conversation, Nestor enfila braies et sayon. Maxumus enchaîna tout en marchant de long en large :

— Donc, il y a en ce moment à Arausio quelqu'un qui te trouve trop curieux et qui te surveille.

— Tout ce qu'il sait, c'est que j'ai rencontré la femme du duumvir. Maintenant, tu en sais autant que lui !

— Je pense que tu as intérêt à être prudent. Ce quelqu'un est un tueur ! Et ce tueur a encore frappé cette nuit ! Il y a un suspect qui me paraît être trop évidemment coupable pour être le véritable responsable du crime. Duvius s'était échappé et a été retrouvé dans une masure avec sa femme. On l'a remis dans sa cellule hier soir avant la fermeture des portes de la basilique civile. Cela lui laisse évidemment le temps d'avoir commis un meurtre, mais il n'aurait pu s'échapper sans complicité, et je pense que le complice de l'évasion et l'auteur du crime ne sont qu'une seule et même personne.

— L'auteur du crime ? Quel crime ?

— Le questeur a été assassiné !

— On a retrouvé son corps ?

— Oui ! A la basilique civile !

— Qui l'a trouvé ?

— Moi !

Nestor laissa échapper un : « Macarel ! » retentissant, tandis que son maître, raide comme une hampe de lance, dardait son regard d'acier dans les prunelles de l'édile.

Maxumus, d'une voix assurée, se lança dans un récit que Nestor jugea aussi invraisemblable qu'une chanson de barde.

— J'ai, ce matin, à la première heure, pénétré avant quiconque à la curie. Le garde m'a ouvert la porte qui avait été fermée hier soir au crépuscule. Je suis monté dans le tablinum où les archives sont conservées. Volumen et tablettes de cire avaient été renversés des étagères et jonchaient le sol. Au milieu d'un désordre indescriptible gisait le corps du questeur.

— Atleas ? Tu es certain qu'il était mort ?

— Oui ! Cette fois, il est mort et bien mort ! Mais il n'est pas mort d'un coup de stylet, comme l'a prétendu ton affranchi, il est mort par strangulation ! Il a autour du cou des marques qui ne laissent place à aucun doute. Il a des ecchymoses sur tout le visage, des dents cassées et une plaie sur le crâne.

— Tu penses qu'il a été torturé ?

— Sans aucun doute ! Son ou ses agresseurs voulaient le faire parler ! J'ai refermé la porte et mis deux hommes en faction. Nous ne pourrons pas garder longtemps la nouvelle secrète. Viens ! Ma voiture est devant la porte.

Nestor drapa la toge de son maître, et tous trois montèrent dans le cisium de l'édile.

Le bruit des jantes de fer roulant à vive allure sur les pavés déchira le silence du petit matin. Les boutiquiers ouvraient leurs volets, la ville se réveillait à peine.

La basilique civile était déserte, exception faite des gardes municipaux. Deux d'entre eux étaient en faction devant la porte située dans la cour arrière de la curie, cinq ou six jouaient aux dés dans la salle d'armes, et deux autres veillaient à la porte du tablinum. Pour faire le compte exact des gardes, il fallait ajouter les deux geôliers.

— J'ai donné ordre à leur chef que chacun reste à son poste ! dit l'édile.

— Le duumvir vient-il tous les jours ? demanda Marcus.

— Il passe tous les matins, mais son horaire est variable ! Les comites et les scribes arriveront dans une heure environ !

Marcus, Maxumus et Nestor entrèrent dans la pièce des archives. Marcus, qui dans sa jeunesse avait fait la guerre aux barbares de la reine Budicca, n'avait jamais vu autant de marques de sauvagerie sur une dépouille humaine. Les mobiles ne pouvaient être que la haine et la vengeance.

— Les plaies semblent récentes ! remarqua Marcus.

Nestor s'agenouilla près du côté gauche du cadavre.

— Regarde ! dit-il, l'étoffe est déchirée sous le bras !

Marcus écarta les bords de l'accroc fait au tissu et pointa le doigt sur la peau, à l'endroit d'une cicatrice ronde pas plus grande qu'une piqûre d'insecte.

— C'est la marque du stylet qu'a vu Nestor ! Seulement la blessure n'était pas mortelle. Il n'est pas mort de ce coup de stylet. Je crois plutôt que le poinçon avait été trempé dans une drogue pour l'endormir, le rendre inconscient. Les vieux sorciers ligures ont gardé le secret des herbes qui chavirent l'esprit. On a enlevé Atleas, on a voulu le forcer à faire des choses qu'il ne voulait pas faire...

L'édile semblait dépassé, ou alors était-il, comme le pensait Nestor, le plus génial des histrions !

— Je ne comprends pas, dit-il, comment il a pu se retrouver ici, alors que personne n'était dans la curie à la fermeture des portes, que personne n'est venu ce matin et que les gardes ont veillé toute la nuit ? Comment Atleas et son assassin ont-ils pu pénétrer ?

Marcus lâcha brusquement la pointe de sa moustache :

— L'assassin doit encore être ici !

— Il n'y a que les gardes ! fit remarquer l'édile.

— Les gardes et nous ! lança Nestor en fixant l'édile.

Marcus observait Maxumus. Il ajouta :

— Les gardes jouent un rôle important dans tous ces crimes ! Ils sont directement sous la responsabilité de l'édile chargé de la police municipale. Les connais-tu personnellement et individuellement ?

— Bien sûr que non ! Ils sont sous l'autorité de leur décurion, qui est sous l'autorité du centurion. C'est à leur officier de faire régner la discipline. Je me contente de donner les ordres. Et je vais devoir ordonner de mettre le corps d'Atleas dans une caisse blindée. Ensuite, je la ferai transporter au plus vite à Narbo Martius. Le proconsul doit être averti.

— N'est-ce pas au duumvir d'avertir le proconsul ?

— Je vais attendre Rufus. Mais je ne suis pas certain que cette mort le surprenne !

— Que veux-tu dire ?

— Sans preuve, je n'ai rien à dire ! Mais je préfère rédiger moi-même un courrier et expédier un cavalier à la résidence provinciale.

Maxumus fit entrer les deux gardes. Il fit descendre le cadavre dans une cellule du souterrain et prit les dispositions pour le dernier voyage du questeur.

Marcus et Nestor allèrent s'attabler à la taverne du marché à l'huile. Ils avaient besoin de se caler l'estomac. Deux cervoises avalées coup sur coup n'avaient pas rendu à Marcus les idées plus claires.

— J'ai l'impression de patauger dans une bauge ! Nous sommes face à une machination très organisée. A sa tête, un homme ! appelons-le : l'*imperator* ! Cet *imperator* a sous ses ordres un état-major de complices et une armée d'hommes de main.

— Mais ton *imperator*, que cherche-t-il ? demanda Nestor, qui sentait avoir grandi en importance aux yeux de son maître depuis la découverte de la cicatrice laissée par le stylet.

— La fortune ! J'ai acquis une seule certitude : cette succession de meurtres est liée à la vente des terrains municipaux ! Quand nous saurons qui en a tiré profit, nous saurons qui est l'*imperator* !

— Et s'ils avaient monté l'affaire à deux ? Si un jour, l'un des deux ne voulait plus partager ? Et moi, je vois bien l'édile jouant le rôle de l'un des deux !

— Si j'admets ton hypothèse, je dirais en prenant moins de risques que le questeur était l'un des deux ! As-tu remarqué que les dalles du tablinum étaient propres et que la toge du questeur était souillée d'une poussière grisâtre ?

— Comme s'il s'était couché sur un sol de terre battue ?

— C'est cela ! Pas de la terre, de la terre battue !

— Comme dans un cul-de-basse-fosse ?

— Comme si on l'avait gardé prisonnier ?

— Pour le faire parler ?

— Ou pour lui demander de donner quelque chose ?

— Quelque chose qui se trouvait dans la pièce des archives ?

— Quelque chose qui s'y trouve encore s'il a refusé d'obéir ? S'il est mort avant ?

Tout en parlant, Marcus et Nestor avaient avalé chacun un poulet. Marcus avait averti Nestor qu'il devrait se contenter de ce repas pour toute la journée ; le temps leur était compté. Ils quittèrent la taverne. La place du marché à l'huile ressemblait de plus en plus à un campement de nomades. Les spectateurs venus de loin s'étaient installés dans leurs habitudes. Des familles entières mangeaient, faisaient la cuisine et dormaient dans leurs grands chariots bâchés. Derrière eux, leurs mules broutaient l'herbe des pentes de la colline du capitole.

Aucun enterrement ne pouvait avoir lieu pendant les ludi. Aucune mauvaise nouvelle ne pouvait venir gâcher la joie du peuple pendant les jours fastes. La mort du questeur ne serait pas rendue publique avant la fin des représentations théâtrales. Marcus se demandait ce qui allait advenir de Duvius. Exécuterait-on la sentence comme prévu, ou ajournerait-on la mise à mort pour le traduire à nouveau en justice ? Ferait-on un nouveau procès fantoche pour lui attribuer le meurtre du questeur, afin d'assurer l'impunité au véritable assassin ? De toute évidence, l'édile, lui, ne croyait pas à la culpabilité de Duvius.

— Je dois parler avec ce Duvius ! déclara Marcus tout en entraînant à nouveau Nestor vers la basilique civile.

Chemin faisant, il lui fit part de ses réflexions, mais Nestor ne voulait pas en démordre, à tout argument il n'opposait qu'une seule affirmation :

— Cela prouve que Maxumus est très fort !

Dans la cour de la basilique, les gardes en faction les reconnurent et les laissèrent entrer en précisant :

— Le duumvir et l'édile sont dans le tablinum du duumvir mais ils ne veulent pas être dérangés !

— J'attendrai ! répondit Marcus.

Il envoya Nestor au tabularium publicum.

— Tu vas aller étudier le cadastre gravé sur les murs intérieurs du bâtiment. Il n'y a que les terrains communaux qui jouxtent les fortifications qui nous intéressent. Fais la liste de tous les noms inscrits dans ces parcelles, relève la superficie correspondant à ces noms et le montant des taxes. Je veux que tu me copies les textes des *merides*[1] concernant les terrains communaux et ceux des *areae*[1] concernant l'usurpation des terrains publics.

— Mais par Cernunnos ! De quoi parles-tu ? Les areae, les merides ? Nous n'avons jamais eu d'affaires qui devaient résoudre des litiges d'areae et de merides !

— Je n'ai pas le temps de te faire un cours de droit. Sache seulement qu'à la différence du reste de la Gaule, la Narbonnaise est une colonie romaine. Le cadastre correspond au découpage systématique de ce territoire conquis en vue de l'aliéner par vente ou à titre gratuit au bénéfice des colons. Et renseigne-toi sur la date à laquelle a été établi ce cadastre.

— Et j'aurais le temps de faire tout ça avant le début de la représentation ? Je ne sais même pas où il est, ton tabularium !

— C'est un petit édifice municipal. N'importe quel commerçant d'Arausio pourra t'indiquer ton chemin !

Nestor s'éloigna en ronchonnant.

Resté seul dans la cour, Marcus se dirigea vers la poterne qui menait au souterrain de la prison. Une belle pièce d'argent vint à bout de la résistance du geôlier, qui finit par accepter de mener Marcus jusqu'à la cellule de Duvius. Le cerbère resta près de Marcus et ne consentit pas à ouvrir la grille. C'est donc de part et d'autre des barreaux que se passa l'entrevue.

1. Terrains devenus propriété de Rome lors de la conquête en 121 av. J.-C. (Cf. Annexes.)

Le grand gaillard blond semblait bien nourri, presque propre. Il planait dans un état serein dénué de toute inquiétude.

— As-tu peur de la mort ? lui demanda Marcus.

Le prisonnier se rapprocha de la grille. Il regarda son visiteur avec l'arrogance lassée d'un ours savant face aux spectateurs.

— Qui es-tu ? De quel droit viens-tu me tourmenter ? Je ne te connais pas !

— Je suis Marcus Aper. Je suis avocat. On m'a dit que tu n'avais pas eu d'avocat pendant ton procès !

— Je n'ai pas besoin d'avocat !

— Tu as été condamné à mort.

— Si je ne dis rien, je ne mourrai pas. Je ne dirai rien.

Marcus pensa que l'*imperator* avait fait un bon choix. L'homme était stupide et têtu. Il poursuivit :

— Comment as-tu réussi à t'échapper de cette prison ?

— Je ne me suis pas échappé de prison. J'ai filé pendant la représentation ! Je cours vite.

Il se mit à rire. Il semblait très fier de lui.

— Alors, tu cours plus vite que les gardes ? Aucun garde ne t'a rattrapé ?

— Non !

— Et tu as trouvé prudent de te réfugier chez ta femme ? Qui t'a conseillé d'aller chez elle ?

— Je n'ai pas besoin de conseils.

— Mais tu n'es pas allé chez ta femme directement, qu'as-tu fait avant ?

— Ce que j'avais à faire.

— Te venger du questeur qui t'avait condamné à mort ?

Pour toute réponse, Duvius éclata de rire en se

cramponnant à la grille de sa cage. Marcus posa sa main sur l'une des mains du prisonnier. C'était une vieille croyance gauloise. Les druides d'antan disaient que par le contact de la peau, par la perception de la chaleur de l'autre, il y avait transmission de volonté. (Sans doute est-ce pour cette raison qu'il n'y avait qu'en Gaule qu'on se serrait la main pour se saluer.) Donc, Marcus laissa sa main sur la main de Duvius, et enchaîna :

— Écoute-moi ! On t'a menti. On s'est moqué de toi. Quelqu'un t'a fait une promesse qu'il n'a pas l'intention de tenir. Il t'a juré que si tu faisais tout ce qu'il te dirait de faire, tu ne serais pas mis à mort. Il t'a juré qu'on te remettrait en liberté et que c'est un acteur qui jouerait la scène du supplice. Il t'a promis que tu pourrais fuir, commencer une autre vie avec un autre nom puisque tout le monde te croirait mort. Il t'a même promis de l'argent, pour toi et pour ta veuve. Mais ce n'est pas vrai, Duvius, il ne faut pas le croire ! Dans quatre jours, tu seras à l'ours de Calédonie ! Tu vas mourir dans des souffrances atroces, c'est cela que tu veux ? Tu veux te taire et payer les crimes commis par un autre ? Tu es condamné à mort, Duvius ! Et maintenant on va t'imputer un nouveau meurtre, celui du questeur ! C'est seulement pour qu'on puisse te rendre responsable de ce nouveau crime que quelqu'un a organisé ton évasion. Dis-moi qui t'a fait toutes ces promesses !

Duvius s'éloigna de la grille, alla soulever le coin de sa paillasse, saisit quelques as et les jeta au geôlier :

— Apporte-moi à boire !

Le geôlier ramassa les petites pièces de bronze et dit à Marcus :

— Viens ! Il faut remonter maintenant.

— Réfléchis, Duvius ! lança Marcus en partant. Et si tu veux essayer de sauver ta vie, demande à voir ton avocat !

Pendant que le geôlier refermait la poterne, Marcus lui demanda :

— Tu connais les gardes qui étaient chargés de surveiller le condamné pendant la représentation ?

— Non ! Ils ne sont pas dans ma décurie. Mais il ne s'échappera plus. Il ne quittera plus son cachot avant l'exécution de la sentence.

— Tu es autorisé à lui apporter à boire ?

— S'il paye !

— Comment peut-il avoir de l'argent en prison ?

— Va savoir !

C'est exactement ce que Marcus aurait bien voulu savoir !

Quand Marcus entra dans le tablinum du premier magistrat, celui-ci finissait de dicter une lettre à un scribe. Rufus renvoya son secrétaire et fit signe à Marcus de s'asseoir. Donnant l'impression de surmonter une immense fatigue, il entama la conversation d'un ton las :

— Je crains de ne pas avoir pris une très bonne initiative en t'invitant aux représentations du *Laureolus*. Le théâtre ne semble pas te passionner, ton fauteuil est resté vide hier.

— J'avais cru comprendre que le théâtre n'était qu'un prétexte et que d'autres affaires te préoccupaient !

— Justement ! J'ai besoin de savoir si tu as l'intention de m'aider. La vie des magistrats paraît menacée par les temps qui courent... Je ne te cache pas que je ne me sens pas en sécurité. Nous devons définitivement mettre l'assassin du questeur de la Narbonnaise hors d'état de nuire.

— Ce n'est pas dans mes attributions. Tu as un responsable de la police ! L'édile...

— Je ne pense pas que Maxumus ait intérêt à voir la vérité éclater au grand jour !

— Cela ressemble à une accusation ! fit remarquer Marcus en caressant sa moustache.

Rufus enchaîna comme s'il n'avait pas entendu :

— Je sais que tes honoraires d'avocat sont très élevés. Tes succès les justifient. Je ne te demande pas un service. Dis-moi ton prix !

— Comme tu viens de le rappeler, je suis avocat, je reçois des honoraires du client dont j'ai accepté d'assurer la défense. Si tu venais à être accusé, que tu sollicites mes services et que je consente à te représenter, les choses seraient différentes ; mais nous n'en sommes pas là. Pour le moment, la seule personne qui me semble avoir besoin d'un avocat est Duvius !

— Duvius est déjà condamné à mort !

— Il paraît être le principal suspect pour le meurtre du questeur. Nous avons le mobile : la vengeance ! Le magistrat l'avait condamné. Le suspect a eu la possibilité matérielle de commettre l'acte : il s'était échappé de prison. Bien sûr, on ne voit pas très bien comment il aurait pu le tuer à l'intérieur de la curie ! C'est d'ailleurs l'argument essentiel de la défense. Je ne manquerai pas de l'exploiter au procès.

— Quel procès ? Un crime de plus ou de moins ne peut rien changer à la sentence. Il est condamné à mort, il doit mourir. L'exécution aura lieu comme prévu, en public, le soir de la dernière représentation.

— Ce serait une erreur judiciaire.

— S'il y a erreur, elle n'est imputable qu'à Atleas ! C'est lui qui était juge au procès de Duvius.

— Il y a un élément nouveau, le procès doit être révisé.

— Aurais-tu un autre coupable à offrir à la justice ?

— Toi-même, tu n'exclus pas cette possibilité, puisque tu crains pour ta vie bien que Duvius soit enfermé dans un cachot !

— Ces gens-là travaillent en bande !

— Et tu sais qui est le chef de la bande ?

— Imagine que le questeur se soit livré à des transactions malhonnêtes, il engage un petit malfaiteur pour commettre les crimes, et ensuite il élimine légalement le témoin, son complice. Mais il avait promis l'impunité à son complice et celui-ci, se voyant trahi, décide de se venger. Cela tient debout, non ?

— Tu oublies la mise en scène très élaborée de l'enlèvement du questeur, l'assassinat des gardes retrouvés dans les panières à costumes ! Tout cela ne peut être l'œuvre de Duvius.

— Alors, il ne reste qu'une seule possibilité : l'homme qui tient sous son autorité la garde municipale est le seul à avoir pu monter cette machination.

— Pour moi, l'homme qui a tiré un profit de tous ces meurtres est le coupable ! Je finirai bien par le trouver. La vie d'un homme est en jeu ! Je me battrai pour que le procès de Duvius soit révisé. Et je t'annonce que je serai son avocat !

— Tu l'as vu ? Il te l'a demandé ?

— Il me le demandera. Faire éclater la vérité, c'est bien ce que tu attendais de moi ?

— En douterais-tu ?

— Mais la fête continue ! Et je ne veux pas manquer la représentation. Je suis intéressé par la façon dont le dramaturge va nous conter l'histoire de Laureolus. Tu es un ami du mime Nica, à ce qu'il paraît !

— Tu as manqué la deuxième journée. Tu risques de ne plus très bien comprendre ! Sans doute avais-tu mieux à faire ? Une femme, peut-être ?

— Une femme charmante qui s'inquiète pour son époux !

— Si elle s'inquiétait réellement, pourquoi l'aurait-elle quitté ? Elle devrait savoir qu'il y a des hommes qui ne pardonnent jamais. Je crains pour elle que son mari refuse de la revoir !

— Une seule chose est certaine, son mari ne peut être taxé d'indifférence, il s'inquiète de ses faits et gestes ! Des miens aussi, semble-t-il !

— Tu es mon invité !

Rufus se leva, appela son secrétaire et signifia courtoisement à Marcus qu'il convenait d'en rester là.

Marcus retourna précipitamment à la domus. La garde personnelle du questeur était sur le départ. Il demanda à voir le décurion. L'homme paraissait profondément affecté. Le dramatique échec de sa mission devait inévitablement se solder par un adieu définitif à sa carrière. Marcus lui demanda un feuillet de papyrus et une écritoire, et le chargea de remettre au proconsul le message qu'il rédigea devant lui. Dans cette lettre, Aper sollicitait la réouverture du procès d'un certain Duvius. Il précisait que son intime conviction le conduisait à penser que ce procès ferait pleine lumière sur l'assassinat d'Atleas, questeur de la Narbonnaise. Il insistait sur un fait : il était d'une importance primordiale que le tribunal soit présidé par le proconsul de la province, étant donné que les magistrats d'Arausio seraient appelés à répondre comme témoins dans ce procès. Un post-scriptum signalait l'urgence de la réponse, car sans élément nouveau, son client, Duvius, serait exécuté dans quatre jours.

Après avoir remis deux sesterces d'argent au décurion et l'avoir convaincu que seule la rapidité du cavalier pouvait sauver la vie d'un homme, Marcus, sous un soleil de plomb, remonta le decumanus, traversa le forum, et s'engloutit dans la masse bruyante des spectateurs.

Les barbiers avaient, tout au long de la matinée, rasé les clients et propagé les nouvelles. La rumeur d'une querelle des magistrats courait de groupe en groupe sur la place du forum. Suivant ses rancœurs et ses inimitiés personnelles, chacun avait son coupable, mais tous déploraient la décadence des mœurs civiques, la perversion des notables, la recrudescence des crimes et le laxisme des autorités.

Dans la loge officielle on gardait le silence. Il eût été puéril de parler du temps, il faisait une chaleur étouffante comme tous les ans à la même époque, et il eût été compromettant de donner son avis sur un spectacle dont les allusions à la réalité n'étaient que trop évidentes.

Le duumvir dédia cette quatrième journée des jeux au divin Apollon et, au son de l'orchestre, une pantomime rafraîchit la mémoire des spectateurs en leur faisant revivre les grands moments des deux premières journées.

Ayant échappé aux interminables ballets érotiques et combats sanglants, Marcus put donc suivre le fil de l'action. Ainsi, pendant que l'avocat prenait les eaux à Aquae Sextiae, un mystérieux personnage avait organisé l'évasion de Laureolus. Ce mystérieux personnage, qui portait la tunique des riches et le pallium des voyous, avait proposé une association au bandit rendu à la liberté. Laureolus devait mettre à profit ses talents d'incendiaire et de cambrioleur pour le compte de son nouveau patron. Mais il n'était plus question de perdre son temps en petits larcins. Le chef d'entreprise avait d'autres ambitions. L'affaire était parfaitement organisée et hiérarchisée, depuis les hommes de main jusqu'au réseau des revendeurs.

La pantomime s'achevait par la cérémonie d'intronisation de Laureolus dans la bande. Les fesses et les seins des filles de mauvaise vie, les biceps et les cuisses des tueurs s'agitaient en cadence au son de la flûte et de la harpe. Les corps, possédés par l'esprit du mal, se contorsionnaient, s'étreignaient, se repoussaient, sautaient en l'air, se roulaient à terre. Dans un fracas de cymbales, la farandole des déments quitta la scène, laissant Laureolus seul sur le podium. Le protagoniste, dans des vêtements neufs, portait une lourde chaîne d'or autour du cou. Il s'avança et récita la fameuse tirade présente dans toutes les mémoires :

« Il était doux le temps de la solitude
J'étais pauvre mais je n'avais pas de maître
Je ne volais pour vivre que mon pain et mon vin
Je suis riche mais que me sert de paraître
Je dois obéir, je suis en servitude
Il me faut à présent partager mon butin... »

En des vers douteux aux rimes incertaines s'égrenait une longue liste d'imprécations et de menaces adressées au chef de la bande des brigands. Et de sa voix de bronze, transfiguré par l'aura tragique comme s'il avait chanté Sophocle, Nica déclama la profession de foi de son héros :

« Lâche ! Tu n'oses agir qu'en armant mon bras.
Crains que les dieux par moi te livrent au trépas.
Enfin ta juste mort me rendra la liberté
Enfin je jouirai seul d'un trésor mérité ! »

Tout au long de cette quatrième journée, se succédèrent les pillages, les viols, les meurtres commis par Laureolus. Infailliblement, avant de quitter le lieu de ses exploits, il allumait un feu qui, par un jeu de reflets dans des plaques de métal poli, créait l'illusion d'un immense incendie. Laureolus triomphant bondissait des flammes en portant sur son dos un sac bourré de bijoux d'or et de vaisselle d'argent. Après chacun de ses exploits, alors qu'il chantait et dansait en comptant ses trésors, le chef des brigands surgissait entouré de ses tueurs. Laureolus était bastonné, dépouillé du fruit de ses rapines, tandis que l'horrible rire du chef résonnait comme un roulement de tonnerre répété par l'écho. Alors Laureolus, jeté à terre, perclus de coups, recevait pour tout salaire quelques sesterces lancés dédaigneusement comme des os à un chien. Avant de se retirer, le chef de la bande menaçait Laureolus de le livrer à l'édile s'il ne se remettait de suite au travail pour piller une nouvelle demeure. Il quitta la scène en hurlant :

« Dans toute la cité allume des feux Laureolus !
Que la cité soit brûlée domus après domus. »

De crime en crime, croissait la haine que Laureolus vouait au chef de bande.

Marcus trouvait le scénario bien répétitif et sans lien visible avec l'énigme qui le préoccupait. Soudain, la présence d'une fragile jeune fille dans la maison que pillait Laureolus raviva son attention. Le bandit, contrairement à sa sauvagerie habituelle, abandonna son butin pour sauver la jeune fille du brasier qu'il avait allumé. Le chef des brigands, ébloui par la beauté de la prisonnière, donna une fête au cours de laquelle l'imagination lubrique du metteur en scène s'était donné libre cours. Le chef prit Laureolus dans ses bras et l'appela « son ami ». Ils étaient corps contre corps, visage contre visage, alors, Laureolus serra de ses deux mains le cou de celui qu'il n'avait cessé de détester.

— Notre chef est mort ! vive notre nouveau chef ! hurlèrent les brigands avinés qui venaient de prendre Laureolus pour maître.

Danses, pitreries et farandoles clôturèrent cette troisième journée saluée par les acclamations d'un public en délire.

Marcus se posait sans cesse les mêmes questions : « Qui avait fourni la trame du mime ? Le metteur en scène Pylade ? Le protagoniste Nica ? Le questeur qui avait présidé le tribunal ? L'édile qui avait arrêté Duvius ? Le duumvir ? Une personne réelle avait-elle inspiré le personnage du chef des brigands ? »

Marcus était impatient d'en parler avec Nestor. Il déclina respectivement les invitations à souper de Rufus et de Maxumus.

Toute la cavea applaudissait et trépignait encore

d'enthousiasme quand Marcus descendit l'escalier de la tribune. Il se précipita près du nymphée, pensant y retrouver Nestor et la rheda, mais la voiture n'était pas là et Nestor non plus. Il réalisa qu'il fallait plus de temps pour descendre du haut de l'hémicycle, donc il attendit. Le temps lui parut long. Il vit d'abord la grande arche cracher le flux des spectateurs, puis il se sentit oppressé au milieu de la foule déversée sur la place. Enfin, tous étaient rentrés chez eux et seuls quelques badauds parlaient par petits groupes.

Les petits groupes disparurent à leur tour et il ne resta plus que Marcus sur la place du marché à l'huile dans la lumière tamisée du crépuscule. Il se dit que Nestor avait oublié le lieu du rendez-vous et devait l'attendre à la domus. Il s'y rendit, mais Nestor n'y était pas ! La voiture était garée dans la remise. Il n'y avait aucun message laissé dans la chambre. Il alla ouvrir le petit coffre qui contenait le nécessaire à écrire. Il emportait toujours avec lui une grande réserve de tablettes de cire ; toutes les tablettes vierges avaient disparu ! Nestor devait les avoir prises pour recopier le cadastre !

Marcus dut se rendre à l'évidence, il était arrivé quelque chose de grave à Nestor ! Il repensa à cet homme en capuchon dont lui avait parlé Nestor à Aquae Sextiae, à la voiture qui les avait suivis... Il faisait maintenant nuit noire, le burlesque des aventures dramatiques emmagasiné au cours de la journée faisait divaguer son imagination. Il n'y avait plus de doute possible, Nestor avait été enlevé, assassiné peut-être ? Mais pourquoi s'en prendre à Nestor ? Pour qui aurait-il pu représenter une menace ? Était-ce un avertissement envoyé à Marcus ? Quelqu'un avait-il l'impression que Marcus commençait à en savoir trop ? Cette seule pensée l'aurait fait éclater de rire s'il n'avait été aussi inquiet ! En savoir trop ? Alors qu'il devait se rendre à l'évidence, il n'avait aucune piste sérieuse. Le tabularium ! Le point de départ était là ! Le nom des morts inscrits sur le cadastre ! C'est au tabularium qu'il était arrivé quelque chose à Nestor ! La nuit, l'édifice était fermé et les voisins calfeutrés chez eux. Il lui fallait attendre le lever du jour. Il hésita à aller voir l'édile, mais il ne se faisait pas d'illusions sur l'efficacité de Maxumus. Pourquoi une police municipale qui avait été incapable de retrouver un questeur se mobiliserait-elle pour retrouver un affranchi ?

Marcus s'allongea tout habillé. A chaque craquement du bois, à chaque cavalcade de petits rongeurs dans les combles, il tressaillait, tendant l'oreille, espérant enfin voir apparaître Nestor. Mais l'aube se leva et Nestor n'était toujours pas de retour.

Au petit matin, Marcus avait élaboré un plan d'action. L'œil vif, les dents serrées, à grandes enjambées il partit à l'attaque.

La première station de sa course éperdue fut la boutique du barbier. Il lui suffit de bien regarder le maître des lieux pour se persuader qu'il avait choisi l'officine à la mode. Le grand prêtre de ce temple de la beauté masculine et, par voie de conséquence, grand maître de l'information et de la propagande arborait une chevelure cuivrée à la cendre de hêtre. Ses joues et sa nuque étaient lisses comme les perles de son collier d'ambre.

Le barbier alla déposer les volets dans l'arrière-boutique, noua un tablier blanc sur ses braies à carreaux rouges et verts et fit claquer une serviette en la secouant sous le nez de Marcus. Il noua la serviette autour du cou de la victime qu'il s'apprêtait à offrir en sacrifice et dit avec la conviction d'un artiste qui parle de son art :

— Cette moustache ! C'est d'un démodé ! Comment peut-on abîmer un aussi beau visage ! Je coupe !

Marcus, qui tenait à ses bacchantes comme Samson à sa toison, arracha les *forces*[1] des mains du praticien et cria :

— Rase les joues et ne touche pas aux moustaches !

— Quelle honte si on te voit sortir d'ici avec la tête de Brennus ! Que fais-tu de ma réputation ?

Être comparé à Brennus, le chef gaulois qui avait pillé Rome il y avait de cela plus de cinq siècles, chassa pour quelques secondes les idées noires de Marcus.

— Dépêche-toi ! dit-il, je serai parti avant que tes clients arrivent !

Avec des gestes de ballerine, le barbier se mit à officier tout en babillant. Il ne tarissait pas en commentaires émerveillés sur la mise en scène du *Laureolus*. C'était vraiment un beau cadeau que leur avait offert leur duumvir. Il ajouta en confidence qu'on se demandait un peu comment il se faisait qu'il fût aussi riche ? Mais puisque c'était à la cité tout entière que profitait cette fortune, pourquoi se poser trop de questions ! Et puis, cela pouvait porter malheur de se poser des questions ! « Il y en a même qui se demandent si le questeur ne s'est pas posé trop de questions ! »

— Qu'est-il arrivé au questeur ? interrompit Marcus d'un ton de parfaite naïveté.

— Comment ! tu ne sais pas ? Il est mort. On a transporté son corps à Narbo Martius ! On a aussi retrouvé tout près d'ici, sur la route, une voiture dans un fossé ! Il y en a qui disent que le questeur a eu un accident !

1. *Forces* : ciseaux.

— Qui dit cela ?

— Quelqu'un qui m'a dit le tenir de quelqu'un qui l'avait su par un garde municipal !

Il cligna d'un air malin, très fier de sa version des faits.

— Peut-être bien ! conclut Marcus qui paya et sortit après s'être fait indiquer le chemin du tabularium.

— Cette moustache, quel dommage ! soupira le barbier.

Marcus descendit le cardo en direction de l'arc de triomphe. Le petit édifice était situé à la hauteur du troisième bloc après l'intersection avec le decumanus. Une inscription sur le fronton triangulaire indiquait que le tabularium avait été inauguré par Vespasien au début de la même année. Le bureau des archives municipales n'était pas encore ouvert. Le commis de la boutique voisine, spécialisée dans la vente d'objets d'os sculptés, balayait devant sa porte. Marcus aborda le gamin et lui demanda si la veille il avait remarqué des visiteurs au cours de la matinée.

— Des visiteurs ! répondit-il, ça se remarque, il n'en vient pas beaucoup ! Hier, il y a un rouquin qui est entré dans la boutique, il m'a fait sortir toute ma collection de couteaux pliants, avec des lièvres, des chiens. Il a tout tripoté et il m'a dit qu'il voulait réfléchir, qu'il reviendrait après un travail qu'il devait faire au tabularium. Je le guettais, je m'étais promis de ne pas le laisser repartir une deuxième fois sans avoir rien acheté. Mais le patron m'a appelé, il y avait des expéditions à préparer. Je n'ai pas pu passer toute la matinée à surveiller le perron du tabularium. Bien plus tard, j'ai vu ressortir le rouquin entre deux gars. Ils sont montés dans un cisium. C'est la vie ! Il a rencontré des amis et il a oublié qu'il m'avait promis d'acheter un couteau ! Pourquoi, tu le connais, ce rouquin ?

— Oui ! Justement je suis à sa recherche !

— Si c'est un de tes amis, je vais te montrer le couteau qui lui plaisait ! Tu devrais me l'acheter pour le lui offrir !

— Dis-moi plutôt comment étaient ses amis ?

— Ils avaient le même âge que lui. Ils avaient l'air d'aimer chahuter, on les entendait brailler jusqu'au coin de l'autre rue !

Cette rencontre de Nestor avec ses deux amis plongea Marcus dans l'angoisse. Il n'y avait plus de doute possible, Nestor avait été enlevé ! Quel but poursuivaient ses ravisseurs ? Chantage ? Rançon ? Il eût été raisonnable d'attendre qu'ils se manifestent, mais Marcus éprouvait un impérieux besoin d'agir.

Il se précipita à la basilique civile et demanda à être reçu par l'édile. Il lui fut répondu que l'édile n'était pas à la curie et un garde le pria de quitter les lieux au plus vite, l'accès au bâtiment municipal étant réservé aux décurions et aux scribes. La conversation s'envenima quand Marcus déclara qu'il attendrait le temps nécessaire mais ne partirait pas avant d'avoir vu l'édile. D'autres gardes vinrent à la rescousse du premier. Pas un seul parmi eux ne semblait reconnaître Marcus qui pourtant, depuis quatre jours, était venu fréquemment à la curie. De son côté Marcus n'avait jamais vu aucun de ces hommes. Il trouva curieux que ce ne soit pas toujours la même décurie qui soit affectée à la garde de la basilique. C'est alors que la carruca de Rufus entra dans la cour.

— Que se passe-t-il ? hurla le duumvir en descendant de voiture.

Il reconnut Aper et le pria de le suivre. Les gardes rentrèrent dans la salle d'armes.

Arrivé dans son tablinum, Rufus fit entrer Aper et rabattit la tenture. Il parla bas comme s'il craignait d'être espionné :

— Je me méfie de tout le monde ! Même les magistrats ne sont plus à l'abri ! Rends-toi compte, le questeur a été enlevé et ses assassins l'ont traîné jusque dans la curie !

— Ce n'est pas certain ! riposta Marcus. Il peut avoir été surpris alors qu'il cherchait à dérober des pièces d'archives !

— Le questeur a autorité pour consulter toutes les archives ! Pourquoi ne l'aurait-il pas fait tout naturellement sans se cacher ?

— Peut-être ne voulait-il pas consulter, mais dérober certains documents ?

— Soupçonnerais-tu la bonne foi du questeur ? Il avait disparu deux jours avant que son cadavre ne soit découvert ! Je pense que cela suffit pour prouver que ses ennemis le gardaient prisonnier.

— A moins qu'il n'ait tout organisé lui-même pour faire croire à un enlèvement ? Bien que je n'arrive pas à me persuader de l'innocence du questeur, je dois reconnaître que des faits nouveaux plaident en faveur d'un enlèvement. Il y a actuellement dans Arausio quelqu'un qui voit d'un mauvais œil que je m'intéresse à cette affaire. Mon affranchi a disparu. Et lui, il n'a aucun intérêt à faire croire qu'il a été enlevé. Je suis venu pour demander à l'édile d'envoyer des gardes municipaux à sa recherche.

— Il ne t'est pas venu à l'idée que Maxumus puisse être le responsable de sa disparition ? Je n'ai aucune confiance dans cette garde qui n'est municipale que de nom ! En réalité, ces gardes sont des vagabonds à la solde de Maxumus !

— As-tu des preuves de ce que tu avances ?

— Les preuves, je t'ai demandé de venir pour les trouver ! Pour moi, les choses sont claires : l'édile s'est rendu coupable d'abus de biens publics en détournant à son profit les taxes relatives aux areae. Il a fait assassiner les hommes qu'il avait spoliés pour les réduire au silence. Il a promis à Atleas de partager avec lui les bénéfices, à condition que ce dernier condamne un petit voyou pour les crimes que lui avait commis. Tout aurait pu réussir, mais Atleas a dû se montrer trop gourmand, il a accumulé des preuves contre Maxumus et l'a fait chanter. Pour ne pas avoir à partager le magot, Maxumus s'est débarrassé d'Atleas.

— Pourquoi ne m'as-tu pas fait part de tes soupçons dès le jour de mon arrivée ?

— Je ne pensais pas que Maxumus irait jusqu'à faire assassiner Atleas. Je pensais qu'en assistant aux représentations, le scénario que j'avais mis au point avec Nica te mettrait sur le chemin de la vérité.

— Et Nestor, d'après toi, c'est aussi Maxumus qui l'a fait enlever ? Dans quel but ?

— Je pense que tu ne seras pas long à le savoir ! Tu devrais retourner à la domus. Sans doute, un message t'y attend déjà !

— As-tu fait part de tes soupçons au proconsul ?

— J'ai l'intention de partir pour Narbo Martius dès la clôture des ludi. Mais je crains de ne pas vivre jusque-là si Maxumus se doute que je l'ai démasqué. Je compte sur toi pour réunir des preuves ! Mais surtout, que cette conversation reste un secret entre nous. Il y va de ma vie !

— Je t'avoue que pour le moment, c'est la vie de Nestor qui me préoccupe !

Marcus se dirigea au pas de course vers la domus. Sous les arcades du forum, il eut l'impression d'être suivi. Il ralentit sa marche, les pas derrière lui adoptèrent la même cadence. Il s'engouffra dans une ruelle déserte et s'arrêta. Un homme, capuchon rabattu jusqu'au nez, s'avança jusqu'à lui et lui chuchota :

— Je ne te veux aucun mal ! Je viens te donner des nouvelles de Nestor !

L'homme dissimulait ses mains sous sa pèlerine. Marcus pensa qu'il devait tenir un poignard.

— Parle, je t'écoute ! dit-il.

— Nestor est en lieu sûr, il va bien. Il te sera rendu si tu viens seul à la première maison rouge sur la voie d'Agrippa, en direction du septentrion !

Sur ces mots, l'homme s'éclipsa.

Marcus passa par la domus, fit harnacher un cheval par le palefrenier et galopa en direction de l'arc de triomphe. Il sortit des murs de la ville et, sur la voie d'Agrippa, à moins d'un mille, il passa sous l'arche centrale du monument dédié à l'empereur Tibère. Il continua tout droit vers le nord et arriva dans un hameau constitué de quelques maisons en bordure de route. L'auberge aux murs peints en rouge était à la sortie du *vicus*[1]. C'était le dernier relais pour les voyageurs venant d'*Augusta Tricastinorum*[2] avant d'arriver à Arausio. Il noua les guides de son cheval à un anneau. Il se fraya un passage à travers un rideau de perles de bois et pénétra dans la taverne. Il eût été étonné du contraire, Nestor n'était pas là ! Il se dirigea vers deux garçons, assez mal rasés, qui étaient attablés au fond de la salle.

1. *Vicus* : village.
2. *Augusta Tricastinorum* : Saint-Paul-Trois-Châteaux.

— Assieds-toi ! Nous t'attendions !

Celui qui venait de lui adresser la parole ainsi que son acolyte portaient la chlamyde des gardes municipaux d'Arausio.

— Où est Nestor ? demanda Marcus qui refusa de s'asseoir.

— Ton affranchi s'est mis dans une mauvaise situation ! poursuivit le plus âgé des deux. L'édile a de bonnes raisons pour nourrir des soupçons à son égard ! Il a su que ce Nestor avait rencontré une personne suspectée de recel de biens publics.

— Je ne sais pas de quoi vous voulez parler et de toute façon, je ne suis pas disposé à parler avec vous ! Je veux voir l'édile en personne !

— Nous sommes ici sur ordre de l'édile. Il t'attend avec Nestor qui te sera rendu si tu te montres raisonnable.

— Alors, allons-y sans perdre de temps ! grinça Marcus en se dirigeant vers la porte de la taverne.

Un cisium attelé attendait sur le bord de la route. L'un des hommes sauta sur le siège tandis que deux gardes, sortis d'on ne sait où, assommèrent Marcus d'un coup de gourdin, lui lièrent les mains derrière le dos, lui bandèrent les yeux et le jetèrent dans la voiture qui démarra au galop.

Au bout de peu de temps, Marcus recouvra ses esprits. Il fit semblant d'être toujours évanoui. Il était assis entre deux hommes ; il lui était impossible de sauter en marche. De toute façon, il voulait aller au bout du voyage, il était curieux de savoir où on le menait. Il lui semblait douteux que cette curieuse convocation se déroule sur les ordres de Maxumus. Sinon ce serait un aveu de la part de l'édile, et alors les heures de Marcus et de Nestor étaient comptées.

Aper se livra à un calcul mental. Comme le cheval avait un galop régulier, il se dit qu'en fonction du temps il pourrait évaluer la distance parcourue. Il en était à « 600 » quand la voiture tourna à droite, à « 800 » quand elle passa sur un pont de bois, à « 1 000 » elle tourna à gauche et à « 1 800 » elle s'arrêta. Ils avaient donc roulé une demi-heure depuis la maison rouge.

— Tu as tapé fort ! dit son voisin, il ne bouge toujours pas. Il est peut-être mort ?

— Mais non ! il respire ! dit un autre qui poursuivit en s'adressant à Marcus :

— Laisse-toi guider ! Nous allons te mener à l'intérieur de la maison ! Sois confiant, tu auras une bonne surprise !

Marcus fut entraîné sur un chemin caillouteux. Les gonds d'une porte grincèrent. On poussa Marcus à l'intérieur. Il entendit le bruit d'une clef qui tournait dans une serrure. Et puis plus rien. Et à nouveau le piétinement du cheval, le crissement des roues. Et enfin le silence. Marcus ne voyait rien et avait toujours les mains liées derrière le dos. Il se mit à hurler :

— Nestor ! C'est Aper ! Je suis là, réponds-moi !

Personne ne lui répondit. Il marcha dans la pièce, à tâtons. Il heurta une table et entendit le bruit d'un objet qui s'était brisé en tombant. Il se coucha par terre, sur le dos, arriva à saisir le tesson de céramique entre ses doigts et finit par réussir à couper le lien qui lui serrait les poignets. Il enleva le bandeau qui était sur ses yeux. Il était seul dans une cabane crasseuse et abandonnée. Il n'y avait ni escalier ni échelle, une seule pièce où gisaient de la paille, des copeaux, des caisses, une table et un tabouret boiteux. Il n'y avait pas de fenêtre, l'unique porte était fermée à clef. Un trou muni de barreaux laissait passer la lumière au-dessus de la porte.

Qui pouvait bien être l'auteur de cette sinistre plaisanterie ? Si c'était effectivement l'édile, cela accréditerait la théorie du duumvir. Alors, il se remémora avec précision le garde mal rasé qui semblait être le chef de la bande. Quelque chose n'était pas réglementaire dans sa tenue. Mais oui ! la fibule qui fermait sa chlamyde ! Une petite fibule de bronze à ressort ! Tous les gardes portent la grosse fibule cruciforme ! Alors il repensa à la fibule cruciforme dans la main du cadavre étranglé dans la panière à costume ! Au cours de la lutte, la victime avait arraché la fibule de son adversaire avant de succomber. Il eut un frisson en pensant à Nestor.

Soudain, une odeur de brûlé s'infiltra par l'ouverture au-dessus de la porte. Il tira la table près de la porte, monta dessus et vit une grange en feu de l'autre côté de la cour. Comment un incendie a-t-il pu se déclarer alors qu'il n'y avait pas d'orage et qu'on ne voyait pas âme qui vive ! D'un seul coup, il eut une idée : le feu ! Il fit un petit tas de copeaux et de brindilles de paille contre la porte de bois, ouvrit sa bourse, sortit son briquet et son silex. Il battit le briquet, l'étincelle fit prendre la paille et bientôt les flammes léchèrent et firent s'effondrer les planches de la porte. Il enleva sa toge, la jeta sur le brasier et sortit de sa prison. Au même moment, Nestor parvenait à s'échapper de la grange en feu de l'autre côté de la cour. Mais Nestor n'eut pas la force de rejoindre son maître, il s'affala sur le sol en criant :

— Vite ! Il y a une femme à l'intérieur !

Marcus, bravant les flammes, s'engouffra dans un épais nuage de fumée. Les poutres du toit finissaient de se consumer, enchevêtrées sur les dalles. Marcus, qui avait appelé à son secours le divin Dis Pater à qui rien n'est impossible, finit par ramener sur son dos le corps inanimé. Il allongea la femme dans la cour, à côté de Nestor, entre les deux brasiers. Nestor essayait de parler, mais sa bouche était pâteuse.

— Lève-toi ! cria Marcus pour le sortir de sa torpeur. Il faut partir d'ici ! Ils vont revenir !

— Qui ils ?

Nestor semblait planer dans un autre monde. Il paraissait faire de gros efforts. Soudain, il articula péniblement :

— Je me souviens ! Ils m'ont drogué ! Ils m'ont piqué avec la pointe d'un stylet empoisonné, regarde !

Il montra à Marcus une petite plaie ronde sous son bras gauche. Marcus l'aida à se relever ; il chancelait.

— Essaie de te souvenir : qui est cette femme ?

— L'épouse de Duvius ! Elle travaillait pour eux mais, quand ils sont partis en nous enfermant, elle a pris peur. Elle est devenue comme folle ! Elle m'a fait boire une tisane et s'est mise à me secouer en me disant qu'il fallait me réveiller, qu'ils allaient revenir pour me tuer et qu'ils la tueraient, elle aussi, parce qu'elle en savait trop !... Je ne me souviens plus de ce qui s'est passé... Ah si ! c'est elle qui a mis le feu, j'ai réussi à fuir et je t'ai vu ! J'ai cru que mon corps s'était séparé de mon esprit ! J'ai cru que mon esprit avait rejoint ton esprit dans l'île des morts. Aper, es-tu sûr que nous sommes vivants ?

— Oui ! Mais pas pour longtemps si nous ne partons pas d'ici !

— Où sommes-nous ?

— A une demi-heure de galop de cheval d'une maison rouge mal fréquentée !

— Alors ?

Marcus scruta l'horizon. Il vit sur une petite colline une ferme isolée, du toit de laquelle s'échappait un ruban de fumée.

— Tu peux marcher jusque-là ? demanda-t-il à Nestor.

— Oui ! Mais la femme ?

— Elle a des brûlures sur le corps et sur le visage, mais elle respire. Je vais la prendre sur mon dos.

Ils se mirent en marche. Ils traversèrent un petit bois et se baignèrent dans l'eau fraîche d'un ruisseau. La femme avait repris connaissance. Elle râlait doucement en prononçant des paroles inintelligibles. Vingt fois, Nestor supplia son maître de le laisser et de revenir le chercher plus tard. Marcus l'insultait et le traînait de force. Enfin, ils gravirent la petite colline sur laquelle paissaient des moutons et pénétrèrent dans la cour de la bergerie. En les voyant, de terreur et de surprise, une gamine lâcha le seau d'eau qu'elle portait et rentra en courant dans la chaumière. Quelques secondes plus tard, une paysanne sortit de la maison et vint à leur rencontre.

— Vous venez de la grange à Tritos ? On a vu l'incendie. Entrez !

La paysanne, qui avait du mal à marcher tant elle était grosse, s'empara de la femme de Duvius, comme d'un agneau qui vient de naître, et la déposa sur une banquette le long du mur de pierre sèche.

— Asseyez-vous et mangez un peu de soupe, cela vous requinquera !

Elle puisa avec une louche dans un chaudron suspendu dans la cheminée d'angle. Elle remplit de soupe les deux bols qu'elle posa sur la table et partit farfouiller dans un coffre dont elle extirpa des fioles d'onguent. Elle barbouilla d'une pâte grasse les plaies de la femme de Duvius et lui fit boire une décoction d'herbes qu'elle conservait dans une jarre.

Marcus et Nestor avaient avalé leur bol de soupe et se sentaient revenir à la vie. Leur hôtesse vint s'asseoir en face d'eux ; à elle seule elle occupait tout un banc.

— Qu'est-ce que vous faisiez dans la ruine à Tritos ? Depuis deux ans qu'il est mort, il n'y vient plus personne.

— C'est un peu long à t'expliquer ! répondit Marcus. Mais nous aimerions bien savoir à qui appartiennent ces deux granges ?

— Si vous visitiez pour acheter, maintenant c'est un peu tard ! Il ne doit plus rester grand-chose ! Le Tritos, il était un peu grossiste, intermédiaire, si tu veux ! Il entreposait la marchandise qu'on lui livrait et que les clients venaient chercher avec de gros chariots. Il était pas bavard, le Tritos. Un jour, il est mort, un chariot a tout emmené et on n'a plus vu personne. Il vivait tout seul. Il ne devait pas avoir de famille. Moi aussi, je vis seule, enfin avec le gamin et la gamine. Lui, il garde les bêtes et il m'aide à tondre, elle, elle m'aide à faire les fromages et elle va les vendre au marché. Mon homme, il nous a quittés pour la ville, bon débarras ! Ça fait un ivrogne que je n'ai plus à nourrir !

— Depuis quelque temps, il revient du monde dans les granges de Tritos ? Tu connais ces hommes ?

— M'occupe pas des voisins ! J'ai rien vu sauf l'incendie ! Pourtant, le feu ne peut pas prendre dans une maison vide, sauf si la foudre tombe dessus !

Elle se leva et changea brusquement de sujet de conversation :

— Vous ne pouvez pas rester dans des loques pareilles ! Je vais vous chercher des frusques à mon homme ! Rassurez-vous ! c'est du tout propre ! J'ai tout lavé au cas où il reviendrait, mais il n'y a plus de crainte à avoir, depuis le temps, il ne reviendra plus !

C'était l'heure de la soupe. Le gamin et la gamine regardaient les étranges visiteurs par la porte entrouverte. Ils n'osaient pas entrer. La femme de Duvius dormait.

— Il faut absolument que je la réveille et que je l'interroge ! dit Marcus. Je n'arrive ni à comprendre ce qu'ils voulaient faire de nous, ni à savoir qui est à la tête de cette invraisemblable machination.

— Je crois que tu n'en tireras rien de plus que ce qu'elle m'a dit, répliqua Nestor. Elle s'est confiée à moi parce qu'elle mourait de peur que les gardes reviennent pour nous tuer tous les deux. Quand elle est partie vivre avec Duvius, il était déjà un voleur, mais il n'avait jamais tué personne. Il travaillait seul et c'était la misère. Un jour, il a été pris sur le fait alors qu'il volait le bas de laine dans une ferme dont les occupants étaient au marché. Les gardes l'ont roué de coups et au lieu de le conduire en prison, ils l'ont mené dans la forêt. Là, ils lui ont dit qu'il avait le choix entre être livré au tribunal qui le jugerait et le condamnerait à mort, ou accepter de travailler pour eux. Ce travail consistait à cambrioler les demeures qu'on lui indiquait et à mettre le feu avant de quitter les lieux. Il était terrorisé. Il a accepté. Il avait de plus en plus peur mais n'osait désobéir au chef, il était pris au piège. Les maisons qu'on lui donnait ordre d'incendier étaient toutes situées dans le quartier des fortifications à Arausio. Il livrait le butin dans une grotte. C'était toujours le même garde qu'il voyait, celui que sa femme appelle le chef. Il lui remettait le sac d'objets volés et recevait quelques pièces en échange.

« Un jour, c'est devenu plus grave, il a appris que les propriétaires dont il avait brûlé les maisons avaient été retrouvés morts. Il a dit au chef qu'il n'était plus d'accord. Le chef l'a laissé partir, mais le soir même deux gardes qu'il ne connaissait pas sont venus l'arrêter. Il a été jugé et reconnu coupable de crimes qu'il n'avait pas commis. Alors le garde qu'il connaissait est venu le voir en prison. Il lui a dit qu'il devait avouer, jurer qu'il n'avait pas de complice et se laisser condamner. Il lui a promis que s'il faisait ce qu'on attendait de lui, ses amis ne l'abandonneraient pas et le feraient évader. Il lui a même promis de l'argent pour s'enfuir et commencer une autre vie. Il avait tellement peur qu'il a obéi aveuglément. Un jour un garde est venu voir la femme de Duvius. Il lui a dit qu'il allait faire évader son mari et il l'a conduite dans la grange de Tritos en lui ordonnant de l'attendre. En effet, quelques jours plus tard, le garde a amené Duvius.

« Ils étaient heureux, ils croyaient qu'ils allaient pouvoir s'échapper, mais un autre cauchemar a commencé. Le garde les a enfermés dans la grange. Et puis, il a amené un autre prisonnier qui semblait drogué. Là, ils n'en croyaient pas leurs yeux ! Le prisonnier était le questeur qui avait condamné Duvius. Le garde apportait du bois pour faire du feu, de l'eau, des choux et de la graisse de cochon. Elle ne sait plus combien de temps cela a duré. Le garde est revenu et il a emmené Duvius et le questeur. Elle ne savait pas ce qu'ils étaient devenus. Je lui ai dit que le questeur avait été assassiné et que son mari était retourné en prison en attendant son exécution. Elle est restée enfermée toute seule jusqu'au jour où ils m'ont jeté dans la grange avec elle. Elle m'a fait boire de l'eau, de la soupe, je ne sais plus, je me suis réveillé avec la gueule de bois et tout qui tournait autour de moi. Dans mon délire, j'ai même cru entendre ta voix qui m'appelait. Après qu'elle m'eut tout raconté, on n'a plus eu qu'une idée : fuir ! Mais la porte résistait. Je n'avais plus de force. La drogue qu'ils avaient mise dans mon sang continuait à agir. C'est elle qui a mis le feu. Un morceau de bois enflammé est tombé sur sa tête. J'ai réussi à ramper et à sortir. Quand je t'ai vu, j'ai vraiment cru que j'étais dans l'autre vie !

Pendant qu'il faisait son récit, Nestor ne s'était pas aperçu que la paysanne et ses enfants l'écoutaient médusés. La grosse femme était là, plantée devant lui et tenant dans ses bras des braies et deux sayons.

— Mettez ça et filez ! Prenez la carriole et la mule ! Vous trouverez bien le moyen de me la rendre !

— Et la femme ? dit Nestor.

— Je la garde. Je la soignerai. Elle vous encombrerait. Marcus fouilla dans sa bourse pour lui donner quelques sesterces, mais ses agresseurs lui avaient fait les poches après l'avoir assommé.

— Allez ! Ne perdez pas de temps ! Vous devez aller voir l'édile !

— L'édile ? rétorqua Nestor, cela ne me semble pas être la bonne idée !

Ils s'habillèrent, montèrent dans la carriole et Marcus prit les rênes. Nestor se sentit ragaillardi par le vent qui lui fouettait les joues. Le soleil était encore haut. Ils n'avaient pas la moindre idée de l'heure qu'il pouvait être. La mule trottait à la limite de ses forces, mais le cocher ne savait pas très bien où il allait.

L'important était de s'éloigner des granges de Tritos et de ne pas s'arrêter à la maison rouge. Ils n'avaient pas d'amis dans les alentours et pas un denier en poche. Ils avaient l'air de ce qu'ils étaient : des prisonniers évadés ! Qui pourrait avoir la témérité de leur faire confiance ?

Ils s'arrêtèrent devant une borne milliaire qui leur apprit qu'ils arrivaient à *Ad Octavis*[1], à 7 milles d'Arausio. Ils avaient roulé sur la voie d'Agrippa en direction du septentrion. Marcus se souvint qu'après son agression, la voiture avait traversé une rivière. Ils rebroussèrent chemin jusqu'au pont de l'Aygues. Là, ils prirent le chemin des berges et, en aval de la rivière, trouvèrent le port fluvial des huiles et du vin. Le jour commençait à baisser quand ils attachèrent la mule à un anneau fixé dans le mur d'un entrepôt. Des esclaves, qui roulaient des tonneaux et portaient des amphores, faisaient la navette entre les chariots et les barges. Marcus s'approcha d'un charretier qui avait une bonne tête et qui était occupé à donner de l'avoine à ses mules. Marcus lui raconta que lui et son ami avaient été attaqués par des brigands, qu'il n'avait plus d'argent, mais que s'il acceptait de les emmener jusqu'à la domus municipale d'Arausio, il le paierait à l'arrivée.

— Ça va ! dit l'homme, cela me fera de la compagnie, je n'aime pas être seul !

Il les invita même à boire une cervoise à la taverne du port en attendant la fin du déchargement.

Le voyage se passa sans histoire, du moins sans incident, car, des histoires, leur phaéton leur en débita, et des plus graveleuses, depuis le départ jusqu'à l'arrivée.

1. *Ad Octavis* : Uchaux.

La domus paraissait déserte. La garde du questeur était partie. Il ne restait que les esclaves attachés à la résidence. Marcus monta dans sa chambre. Personne n'y avait pénétré pendant son absence. Il prit quelques sesterces dans le coffre qui contenait ses réserves et retourna s'acquitter de sa dette.

— C'est trop ! dit l'homme, j'étais heureux de bavarder !

— J'ai encore un service à te demander. Il y a une paysanne qui habite avec ses moutons sur la colline avant d'arriver à Ad Octavis. J'ai laissé au port la mule et la carriole qu'elle m'avait prêtées. Peux-tu aller les lui rendre ?...

— C'est que...

Marcus réalisa que la complaisance de son nouvel ami avait des limites. Il doubla la gratification. L'homme lui sourit.

— Ça sera fait ! dit l'amateur d'histoires grivoises.

Il fit un grand geste de la main et s'éloigna en comptant ses pièces. Il venait de recevoir en un jour plus qu'il ne gagnait en un mois.

Marcus retrouva Nestor en conversation avec l'esclave chargé de leur service. Il remettait un rouleau cacheté à Nestor.

Arrivés dans leur appartement, Marcus brisa le sceau. Il déroula le papyrus. Il venait du duumvir.

— J'espérais que ce serait la réponse du proconsul ! dit rageusement Marcus.

Nestor haussa les épaules :

— Même le meilleur cavalier de l'empereur ne pourrait être déjà revenu de Narbo Martius ! Il y a environ 280 milles aller et retour ! et en galopant à 9 milles à l'heure, en passant deux nuits sans dormir et en changeant de cheval à chaque relais, il ne pourra pas être ici avant demain matin.

Marcus lut la lettre du duumvir et la montra à Nestor.

Rufus s'inquiétait de l'absence de Marcus. Il lui conseillait de se méfier et le priait de se rendre à la deuxième heure du lendemain à l'endroit où ils s'étaient déjà rencontrés. En post-scriptum il avait écrit : « Surtout que personne ne soit au courant. »

— C'est curieux ! dit Marcus, il semble se douter qu'on pourrait s'en prendre à moi ! Sinon, pourquoi s'inquiéterait-il ? Me méfier, mais de qui ?

— C'est assez clair ! rétorqua Nestor, il te conseille de ne pas faire confiance à l'édile.

Marcus ne répondit pas.

Aper et Nestor se firent monter deux pichets de cervoise et un plat de cochonnaille. A tour de rôle, ils se mirent debout dans la bassine et s'aspergèrent d'eau fraîche. Après quoi, ils se couchèrent chacun sur une banquette, avec un poignard sous l'oreiller.

Depuis le début du repas, Marcus n'avait pas desserré les dents. Le silence de son maître ne présageait rien de bon, Nestor finit par exploser :

— Dis quelque chose à la fin ! A quoi penses-tu ?

— Dans trois jours Duvius doit être mis à mort devant tous les spectateurs ! Il faut à tout prix convaincre le proconsul de rouvrir le procès avant la date fatidique !

— Si notre mystérieux ennemi nous en laisse le temps ! Avant trois jours, c'est peut-être nous qui aurons abordé dans l'île des morts !

De violents coups frappés à la porte surprirent Nestor en train de draper la toge de son maître. Il alla ouvrir. Un esclave lui annonça qu'un cavalier, crotté des *caligae*[1] à la pointe des cheveux, demandait à voir l'avocat.

— Fais-le monter ! dit Marcus avec empressement.

— Il vaudrait peut-être mieux l'envoyer aux thermes avant ! ricana Nestor.

— Obéis ! et vite ! hurla Marcus en précipitant le serviteur dans l'escalier.

— Félicite-moi, j'avais vu juste ! poursuivit Nestor.

— C'est surtout le cavalier que j'ai envie de féliciter !

Il avait à peine fini sa phrase qu'un rouleau au sceau du proconsul lui était présenté par une main pleine de poussière, et que le corps auquel appartenait cette main se mit à chanceler de fatigue.

Nestor fit allonger le messager sur sa banquette et lui donna un verre d'eau pendant que Marcus lisait la lettre :

1. *Caliga* (*ae*) : bottine du soldat romain.

« A Marcus Aper. Ton courrier est arrivé à la première heure de ce jour, et je t'envoie sur-le-champ un homme à moi que tu dois garder car il est sûr, ce qui ne semble pas être le cas de tous les citoyens d'Arausio. Je pars te rejoindre à la résidence municipale avec le *petorritum*[1] de la poste impériale. J'espère arriver peu après Balbus. Ne parle à personne de ma venue ! — Trebellius Sextilius Felix, proconsul de la Narbonnaise. »

— Qu'allons-nous faire de Balbus ? grogna Nestor.

— Il a besoin de dormir. Tu vas rester avec lui pendant que je vais rejoindre Rufus à la nécropole. Si dans une heure je ne suis pas de retour, allez faire un tour du côté de la porte du chemin portuaire !

— Je ne suis pas d'accord ! Je ne te laisserai pas y aller seul.

Il parla dans le vide ; l'avocat descendait l'escalier.

Marcus attendait déjà depuis un moment sous le porche de la porte du chemin portuaire. Il commençait à s'impatienter. Il se dit que Rufus avait dû se rendre directement à la nécropole. Il se dirigea vers la stèle de Bassus. Seules les pierres se dressaient entre la terre et le ciel uniformément bleu, pas le moindre nuage. La journée promettait d'être chaude. Seule la mort régnait ici, pas un bruit, pas une ombre. Soudain, il lui sembla entendre des pas dans le gravier. Il se retourna mais ne vit rien. Subitement, un sifflement déchira l'air près de son oreille et une flèche alla buter contre la stèle de Bassus. Sans comprendre ce qui lui arrivait, il s'accroupit derrière la stèle voisine. Une autre flèche vint se ficher dans le

1. *Petorritum* : voiture suspendue à quatre roues.

sol à ses pieds. Tout en restant à l'abri, il se pencha pour essayer de voir d'où partaient les traits.

Quelle ne fut pas sa surprise en découvrant une dizaine de gardes municipaux qui surgissaient de derrière les pierres comme des revenants propulsés par des ressorts. Tous pointaient leur arc dans la direction opposée à celle de Marcus, vers un petit tertre qui surplombait la nécropole. Une pluie de flèches s'abattit sur le tertre en même temps qu'il aperçut une ombre s'enfuir. Tous les gardes municipaux partirent en courant vers le tertre. Marcus se redressa. Il sentit, dans son dos, un homme qui s'approchait de lui. Il tira son poignard de sa ceinture, se retourna et, l'arme au poing, se trouva nez à nez avec l'édile. Maxumus le regarda droit dans les yeux et tendit ses mains devant lui. Il n'avait pas d'arme.

— Tu devrais me remercier ! dit-il, sans ma garde, tu serais mort !

Marcus rangea son poignard.

— Que venais-tu faire ici ? poursuivit l'édile.

— Tu dois le savoir, sinon tu ne serais pas là ! C'est plutôt moi qui pourrais m'étonner de ta présence !

— Tu ne me facilites pas le travail, Aper ! Tu ne joues pas franc jeu avec moi ! Tu n'as donc pas compris qu'en voulant agir seul tu mettais ta vie en péril. Il y a un tueur en liberté dans Arausio.

— Ce tueur n'agit pas pour son compte. Toi non plus, tu ne joues pas franc jeu ! Tu connais le nom de celui qui donne les ordres. Je finirai par le découvrir. Ne crains-tu pas que cette rencontre inattendue risque de me mettre sur la voie ?

— Je n'ai réussi à débusquer que le bras, pas le cerveau ! C'est un bandit qui porte la chlamyde. Il faisait encore nuit quand on l'a vu partir avec une arbalète. On est venu me prévenir qu'il était posté sur le tertre qui domine la nécropole. J'ai fait encercler le tertre et j'ai donné ordre à d'autres hommes de se cacher derrière les stèles.

A ce moment, un garde dévala à toutes jambes la pente du tertre.

— Nous l'avons eu ! dit-il à l'édile. Il est mort !

— J'avais précisé que je le voulais vivant !

Marcus douta de la sincérité de l'accès de colère de Maxumus.

— Ainsi, il ne pourra pas révéler le nom de celui qui l'a envoyé ici ! rétorqua-t-il en se dirigeant à grands pas vers la porte de la nécropole.

L'édile fit signe au garde de le rattraper et cria :

— Nous avons encore à parler ! Aper, ne pars pas ! Je souhaite que tu m'accompagnes à la curie.

Marcus l'attendit. Ils marchèrent côte à côte. Maxumus le mena jusqu'à son cisium dissimulé derrière l'angle du mur. Ils allaient monter dans la voiture quand une rheda s'arrêta à côté d'eux. Nestor et Balbus en descendirent.

— Tu m'excuseras si je préfère rentrer par mes propres moyens ! dit Marcus.

L'édile fit signe au garde de le laisser faire.

— Sois sans crainte, je te promets que nous nous reverrons ce matin même à la curie !

Dès que la rheda se mit en marche, Nestor dit à Marcus :

— Un certain temps après ton départ, un esclave du duumvir est venu te prévenir que son maître ne pourrait pas se rendre au rendez-vous. Heureusement que tu m'avais dit où tu allais ! J'ai réveillé Balbus et nous sommes partis immédiatement pour te chercher.

Marcus conta son aventure à Nestor, qui vit là une preuve supplémentaire de la culpabilité de Maxumus.

— Il m'a sauvé la vie ! réfuta Marcus.

Le proconsul n'était pas encore arrivé. Marcus était inquiet. Il décida d'aller chez Rufus. Le duumvir possédait une villa au sud-est du quartier résidentiel. Ils s'y rendirent tous trois en rheda. Un esclave gardait la porte cochère.

— Je suis l'avocat Marcus Aper, j'avais rendez-vous avec le duumvir ! Puis-je entrer ?

L'esclave ouvrit la porte et la voiture entra dans la cour. Marcus fit signe à ses deux compagnons de l'attendre et se dirigea vers le portique de l'aile centrale. Un serviteur sortit d'un des deux pavillons d'angle, s'enquit de l'identité du visiteur et le fit entrer dans l'atrium. Un affranchi vint au-devant de lui.

— Je crains que le duumvir ne soit pas en état de te recevoir, il a eu ce matin une crise d'asthme qui l'a obligé à garder le lit. Le duumvir est un homme malade qui devrait se ménager plus qu'il ne le fait !

— C'est très important ! Dis-lui que l'avocat Marcus Aper est là ! Je sais qu'il consentira à me voir.

Quelques secondes plus tard, l'affranchi introduisait Marcus dans la chambre de Rufus. Il était couché, la couette tirée jusqu'au menton. Marcus remarqua que le malade était rasé de frais. Rufus demanda qu'on les laisse seuls. Il s'adressa à Marcus d'une voix sourde :

— Je suis heureux qu'on t'ait prévenu à temps !

— J'étais déjà parti quand ton messager est arrivé à la domus. On a tenté de m'assassiner !

— C'est moi qui étais visé !

— Qui pouvait savoir que tu avais l'intention d'aller à la nécropole ?

— J'ai des raisons de craindre pour ma vie. Un fidèle serviteur est au courant de tous mes déplacements. Il est chargé de me protéger. Lui seul était informé.

— Je veux le voir ! Fais-le appeler !

Rufus agita la clochette qui était près de son lit. L'affranchi entra.

— Fais venir Secundus !

— Mais Secundus n'est pas là ! Il est parti avant l'aube et personne ne l'a revu.

— C'est bon, laisse-nous !

Rufus eut une quinte de toux, but un verre d'eau et enchaîna :

— Tu vois, tout le monde me trahit. Je ne peux avoir confiance en personne. Maxumus veut se débarrasser de moi comme il l'a fait du questeur. Il se donne une peine inutile, je suis très malade. Heureusement tu es en vie, mais rassure-toi, ce n'est pas toi que l'on visait !

— C'est sur moi qu'on a tiré des flèches !

— Et le meurtrier ? L'a-t-on arrêté ?

— Il est mort !

Rufus prit une grande respiration et murmura :

— Tu vois ! l'édile avait peur qu'il parle !

— Pourquoi voulais-tu me rencontrer ? Qu'avais-tu à me dire ?

— J'ai des preuves, c'est l'édile qui a volé mes archives !

L'affranchi entra avec un homme en toge :

— Ton médecin, Rufus ! Tu dois être raisonnable !

— Oui, oui ! Raccompagne Marcus Aper !

— Je reviendrai ! dit Marcus.

La rheda arriva à la domus en même temps que la voiture de la poste impériale. La berline tirée par quatre chevaux attelés de front passa lentement sous le porche et s'arrêta dans la cour. Un des deux cochers sauta à terre et vint ouvrir la portière. Le proconsul avait l'aisance d'un Romain de haute naissance habitué de longue date aux honneurs. A peine Felix avait-il mis le pied à terre qu'il salua Marcus et, effaçant toute barrière hiérarchique, le prit dans ses bras pour lui donner l'accolade. Il parlait à voix basse, contraignant ainsi son auditoire à une écoute attentive :

— J'aurais préféré te revoir dans d'autres circonstances, mais je te suis reconnaissant de la diligence avec laquelle tu m'as prévenu. Je ne m'explique pas comment il se fait que les magistrats de la cité aient pu négliger de m'avertir de l'assassinat de mon questeur ! Qui est ton client dans cette affaire ?

— Mon client, bien qu'il soit un peu prématuré d'employer ce terme, a été condamné à mort au cours d'un procès auquel je n'ai pas assisté ! Je souhaite la réouverture de ce procès car le condamné n'est pas coupable des crimes dont on l'a accusé.

— As-tu un élément nouveau ?

— J'y travaille !

— Accompagne-moi à la curie ! Je dois parler avec le duumvir.

— Tu le trouveras chez lui, il est souffrant. Il m'avait assuré que son intention était de se rendre à Narbo Martius dès la fin des Jeux pour te rencontrer.

Après être convenus de se retrouver à la curie, Felix et Balbus partirent pour la domus du duumvir, tandis que Marcus et Nestor allaient directement à la curie. Ils montèrent l'escalier et demandèrent à être reçus par l'édile. Maxumus était d'une humeur exécrable. Marcus l'entendit hurler de l'autre côté de la tenture :

— Qu'il attende !

Maxumus n'était pas seul dans son tablinum. Il conversait avec un homme qui roulait les « r » à la façon campagnarde. Soudain, l'édile sortit en trombe et poussa Marcus dans la pièce plus qu'il ne le pria d'entrer :

— Un avocat ? Est-ce que c'est lui ton avocat ?

Marcus reconnut le visiteur : c'était le charretier conteur d'histoires.

— As-tu rendu la carriole à la veuve ? lui demanda Marcus.

— J'aimerais comprendre ! rugit l'édile. Cet homme prétend qu'il connaît l'incendiaire qui a mis le feu aux granges de Tritos !

— C'est lui ! déclara le charretier. C'est la propriétaire de la carriole qui m'a dit qu'elle le savait de la bouche même du criminel ! Je veux ma récompense pour l'avoir dénoncé !

— Je n'ai pas l'habitude de payer les délateurs ! hurla l'édile. J'entendrai Tritos s'il exige réparation !

— Tritos est mort ! bafouilla le charretier.

Maxumus fit signe à un garde de raccompagner le charretier et conclut d'un ton sec :

— Maintenant, retire-toi si tu ne veux pas que je te fasse payer une amende pour me déranger en me débitant des racontars que tu tiens d'une paysanne dont tu ne sais même pas le nom à propos d'une grange dont le propriétaire est mort !

Le charretier s'esquiva en montrant Marcus du doigt :

— Ce que je dis est vrai ! L'incendiaire, c'est lui !

Le départ du charretier ne changea rien à l'humeur de Maxumus.

— Je crois, Aper, que tu me caches vraiment trop de choses ! J'aimerais que tu me dises ce que tu faisais chez ce Tritos et pourquoi tu as allumé un incendie !

— N'en n'aurais-tu pas une petite idée ? ironisa Nestor.

Sans relever l'insulte, l'édile poursuivit :

— J'apprends la présence à Arausio du proconsul. A-t-il été averti de la mort du questeur par toi ou par le duumvir ?

— Par moi ! dit Marcus.

— Je n'avais pas jugé souhaitable qu'il se mêle des affaires d'Arausio avant que je n'aie réussi à démêler l'écheveau des questions restées sans réponse.

— Je pense, dit Marcus, que nous nous acheminerions vers ces réponses si nous arrivions à identifier l'homme qui a voulu m'assassiner.

— Cet homme portait la chlamyde du questeur, mais c'est un imposteur, le décurion a été formel, sa décurie était au complet en comptant les trois cadavres. Quant à moi, je l'ai reconnu, c'est lui qui est venu m'annoncer la disparition d'Atleas. Son corps est dans une cellule de la prison. Descendons, si tu le souhaites.

Marcus, Nestor et Maxumus descendirent dans la prison. Nestor approcha une torche du visage du mort.

— C'est lui ! dirent ensemble Marcus et Nestor.

— Qui, lui ? demanda Maxumus.

Marcus raconta alors toute son odyssée à la maison rouge, dans la grange de Tritos, l'incendie, la rencontre avec la veuve. Il ne put interpréter les réactions de l'édile, celui-ci l'écoutait en lui tournant le dos. Marcus conclut que, sans erreur possible, c'était bien l'homme qui l'avait enfermé chez Tritos. Nestor, à son tour, fut formel :

— C'est lui qui m'a enfermé dans l'autre grange avec la femme de Duvius !

C'est alors que Marcus remarqua la fibule non réglementaire et tira de sa bourse la fibule cruciforme qu'il avait prise dans la main d'un des gardes retrouvés dans les panières.

— Qu'en penses-tu, Maxumus ? Cet homme semble avoir pas mal de morts sur la conscience ! C'est l'assassin des trois gardes du questeur ! Il serait intéressant de savoir si Duvius et le costumier le connaissaient !

Maxumus donna ordre à deux gardes d'aller chercher les prisonniers dans leurs cellules.

Le costumier nia énergiquement avoir déjà vu cet homme. Quant à Duvius, il sembla particulièrement perturbé. Il fut pris de tremblements. L'édile eut beau insister, il se confinait dans le mutisme. Marcus finit par lui dire :

— Duvius, tu dois comprendre que si tu refuses de parler, tu seras exécuté dans deux jours. Je t'ai promis de faire rouvrir ton procès, mais pour cela tu dois m'aider à apporter des éléments nouveaux.

Duvius, tel un homme en train de se noyer, se contentait de répéter :

— Il est mort !

— Donc tu le connais ! hurla l'édile.

Duvius finit par marmonner :

— Je veux bien parler à mon avocat ! Mais pas devant l'édile.

— Alors, maintenant tu souhaites que je sois ton avocat ?

— Oui !

— Très bien, dit Marcus, mais je te préviens, j'exige que tu me dises toute la vérité ! Si j'ai l'impression que tu me mens ou que tu me caches certaines choses, je refuserai de te défendre !

Maxumus réagit violemment :

— Je ne te comprends pas, Aper, je ne vois pas où est ton intérêt. Tu n'espères pas que ce vagabond puisse te payer ? Tu prends trop de risques ! Il y a quelqu'un qui ne souhaite pas que tu te mêles de cette affaire ?

— Tu es là pour me protéger !

— Comment le pourrais-je si tu ne me tiens pas au courant de tes agissements ?

— Si c'est pour jouir de la même protection que le questeur, je préfère agir seul !

On reconduisit le costumier et Duvius dans leurs cellules. Marcus obtint de Maxumus l'autorisation de voir seul son client.

Le garde enferma le prisonnier et son avocat dans le cachot. Nestor resta dans le couloir avec le geôlier. Les conditions de détention du condamné avaient changé. N'ayant plus d'utilité et devenant gênant pour son protecteur, il semblait évident que sa mort était le seul rôle qu'il lui restait à jouer. Il s'affala sur sa paillasse pourrie en geignant :

— Je suis perdu, il est mort !

— Qui est cet homme ? Dis-moi son nom !

— Son nom, je ne l'ai jamais su ! C'était le chef. C'est pour lui que je travaillais. Mais je n'ai jamais tué personne ! Il m'avait promis de me faire évader !

— Il n'a pas tenu parole puisqu'ils t'ont repris !

— Si, il a toujours tenu sa parole, mais maintenant qu'il est mort, j'ai peur !

— Il ne t'a fait évader que pour te faire accuser du crime du questeur. Il t'a menti, tu es à nouveau en prison.

— C'était arrangé comme ça. Il avait promis que ce serait lui qui viendrait me chercher pour l'exécution. C'est un autre qui devait prendre ma place, moi je m'habillais en garde, il me donnait de l'argent, beaucoup d'argent et j'étais libre. Il est mort, je suis perdu !

— Cela ne te dérangeait pas qu'un autre soit livré à l'ours à ta place ? C'est un meurtre avec préméditation que tu aurais commis !

— Maintenant il n'y a plus personne pour me sortir d'ici ! Il avait promis. J'ai peur ! Maintenant qu'il est mort, ce n'est pas un autre, c'est moi qui vais être exécuté.

— Tu avais bien mal placé ta confiance. Même s'il était encore en vie, cet homme t'aurait laissé aller au supplice. Tu ne lui servais plus à rien. Que sais-tu à propos de Bassus ?

— Je ne l'ai pas tué ! Moi, j'ai volé des objets et brûlé sa maison. Il n'y avait personne à l'intérieur quand j'ai fait le travail.

Nestor, le nez appuyé à un barreau de la grille, ne perdait pas un mot de l'entretien. Marcus poursuivait son interrogatoire en exploitant la frayeur de Duvius :

— Tu as avoué le crime à ton procès !

— C'était dans nos accords. J'avouais tout, je ne risquais rien et je touchais beaucoup d'argent !

— Tu l'as cru ?

— Je n'avais pas le choix ! Il m'avait surpris alors que je volais la bourse d'un voyageur. Il a dit qu'il voulait que je travaille pour lui et que si je refusais, il me tuerait tout de suite !

— Il n'aurait peut-être pas mis sa menace à exécution !

— Si ! Il a tué le voyageur.

— En acceptant de travailler pour un assassin, tu es devenu son complice !

— Je n'avais pas le choix ! Et moi, je n'ai jamais tué !

— Tu sais le nom de celui pour qui tu travaillais ?

— Je te l'ai déjà dit, c'était le chef, je l'appelais chef ! Je ne suis pas curieux. Il me payait !

— Non, Duvius ! ce n'était pas le chef, il tuait pour le compte d'un autre, et cet autre se moquait bien des objets que tu volais !

— Il me payait pour ces objets !

— On te payait pour mettre le feu et endosser les crimes !

— Je n'ai pas tué Bassus !

— Si le but avait été le vol, il n'aurait pas été nécessaire d'assassiner Bassus. Bassus est mort parce qu'il possédait des areae qu'un magistrat voulait revendre.

— Je ne comprends pas.

— Et le questeur, il est mort pendant que tu t'étais évadé. C'est bien toi qui l'as tué !

— Non ! Non ! Le chef m'a fait évader, il m'a conduit dans une grange avec le questeur, et puis, à la nuit, il est revenu chercher le questeur qui était tout endormi. Je ne sais pas ce qu'il a fait avec le questeur. Le lendemain, il m'a dit qu'on me reconduisait en prison et il m'a expliqué la comédie de mon exécution. Il disait que pour que je vive tranquille, il fallait qu'on me croie mort.

— Celui que tu appelles le chef n'était qu'un tueur à la solde du vrai chef ! Si j'arrive à faire rouvrir ton procès, un nouveau juge sera nommé. Tu devras lui dire tout ce que tu sais. C'est la seule façon d'éviter que tu sois livré à l'ours de Calédonie. Mais tu seras condamné pour complicité de meurtres !

— Je te répète que je n'ai tué personne !

— Tu as aidé le meurtrier ! Tu as caché la vérité à la justice, tu as menti au procès, tu seras aussi condamné comme voleur et incendiaire. Je plaiderai en soutenant que tu as agi sous la menace et j'espère que tu t'en sortiras avec quelques années de galère.

— Je n'ai rien gardé de ce que j'ai volé.

— Où livrais-tu tes larcins ?

— Si je te le dis, tu me promets que j'éviterai le supplice de l'ours ?

— Si tu ne me le dis pas, je te promets que dans deux jours tu mourras déchiqueté ! C'est tout ce que je peux te promettre !

— Une grotte, sur une hauteur. On y va à travers ronces. On commence à monter sur la rive droite, à environ un mille après le pont de l'Aygues.

Marcus se dit qu'il se passerait bien de cette promenade, mais que la cachette pouvait contenir des choses bien plus importantes que des candélabres ou de la vaisselle. Maintenant qu'il avait établi le dialogue, il posa la question qu'il avait sur le bout de la langue :

— Celui que tu appelles le chef, je l'ai déjà vu et quand je l'ai vu, ils étaient deux. L'autre, tu dois bien savoir son nom, il devait arriver au chef de l'appeler par son nom ! Je veux que tu me dises le nom de l'autre !

— L'autre, tu ne peux rien contre lui !

— Pourquoi ?

— L'autre, c'est un garde ! Un vrai garde !

— Son nom ! Je veux son nom !

— Niger ! Il l'appelait Niger.

— Si le juge t'interroge, tu devras répéter tout ce que tu m'as dit !

— Et je ne serai pas mis à mort !

— Tu ne seras pas livré à l'ours !

Marcus appela le gardien. Tandis qu'il montait l'escalier avec Nestor, il lui dit :

— Tu devrais essayer de retrouver cette grotte ! Il serait intéressant de savoir si les objets volés y sont toujours... et peut-être trouveras-tu les mystérieux documents du duumvir ? Je t'attendrai à la taverne du marché à l'huile.

— Et si je tombe sur ce Niger ? grogna Nestor.

— Ramène-le vivant !

— Pauvre Nestor ! J'espère que ton maître t'offrira de belles funérailles ! soupira le rouquin, en s'éloignant au pas de course.

Un comites allait au-devant de Marcus pour le prier de se rendre dans le tablinum de l'édile.

Felix et Maxumus s'arrêtèrent de parler en voyant entrer l'avocat, puis le proconsul reprit là où il en était resté :

— Maxumus, tu es le chef de la police d'Arausio, tu devais immédiatement m'avertir de la disparition de mon questeur !

L'édile réagit tel un chien enragé :

— Tu crois peut-être que j'ai attendu en me croisant les bras ? J'avais des soupçons, et ils étaient justifiés puisque j'ai arrêté l'assassin du questeur alors qu'il s'apprêtait à commettre un autre crime.

— Ce n'est pas une arrestation, mais une exécution ! Il n'a pas fait d'aveux ! Rien ne prouve que cet homme soit l'assassin du questeur ! Craignais-tu qu'il parle ?

— Aurais-je dû laisser tuer Aper ?

— Si tu l'avais démasqué, pourquoi ne pas l'avoir arrêté ? Pourquoi prendre un tel risque et organiser une battue ?

— Il me fallait le prendre sur le fait ! J'avais besoin de preuve !

— Pourquoi laisser Aper aller au rendez-vous ?

— Aper ne m'avait rien dit ! Je ne savais pas qui cet homme devait rencontrer. Je tenais à le savoir.

Marcus sortit de son mutisme et dit calmement :

— C'est le duumvir qui m'avait fixé ce rendez-vous, je pense qu'il y a eu méprise : c'est Rufus qui était visé.

Maxumus rugit :

— Que ne me l'as-tu dit plus tôt ? Tout s'explique ! Le duumvir a monté ce guet-apens pour se débarrasser de toi !

— Rufus est malade, il a dû garder la chambre ! rétorqua Marcus.

— C'est curieux ! dit le proconsul, j'arrive de sa domus où son affranchi a eu l'air surpris de me voir à Arausio. Il m'a déclaré que le duumvir venait de prendre la route pour Narbo Martius. A ce qu'il savait, son maître avait de graves révélations qu'il tenait à me faire en personne !

Maxumus et Aper se regardèrent droit dans les yeux.

Felix enchaîna :

— J'ai immédiatement envoyé Balbus sur la route de Narbo Martius avec ordre de dire au duumvir que je l'attendais à Arausio.

— Un cavalier au galop ne peut mettre très longtemps pour rattraper une voiture de voyage ! répliqua Marcus. Le duumvir n'a que peu d'avance. Je l'ai quitté ce matin, il était dans son lit, le médecin est entré quand je partais. J'ai remarqué que Rufus était fort surpris de me voir !

— Surpris de te voir vivant ! interrompit Maxumus.

— De plus je me suis étonné qu'il ait pris la peine de se faire raser pour garder le lit ! Peut-être était-il tout habillé sous son drap ? Je commence à croire que tu pourrais avoir raison Maxumus ! C'est moi qui étais visé. Mais pourquoi m'a-t-il invité à Arausio ?

— Un incident imprévu a pu bouleverser ses plans !

— Le questeur ! murmura Marcus en enroulant le bout de sa moustache sur son index.

Il n'écoutait plus les propos échangés par Felix et Maxumus. Il réfléchissait. Il s'était forgé son intime conviction. Mais il restait à fournir des preuves ou à obtenir des aveux... Bassus, Atleas, son agresseur étaient morts sans avoir parlé ! Rufus était en fuite ! Marcus était prêt à parier que Balbus ne le rattraperait pas sur la route de Narbo Martius ! Rufus devait rouler dans une tout autre direction. Il se reprochait de s'être laissé entraîner sur une fausse piste par la stupide antipathie de Nestor, il se reprochait d'avoir négligé le rôle des femmes dans cette affaire. Il fut tiré de ses méditations par l'édile et le proconsul qui, debout, face à lui, disaient ensemble :

— Qu'en penses-tu, Aper ?

Il les regarda comme un poussin hébété qui sort de sa coquille. Felix poursuivit :

— Les jeux offerts à Apollon doivent se dérouler normalement et la tribune officielle ne peut rester vide ! Je présiderai la sixième journée en attendant le retour du duumvir !

Maxumus et Marcus se regardèrent. Et, pendant que le proconsul prenait congé, l'édile fit signe à Marcus de se rasseoir.

Dès qu'ils furent seuls, Marcus prit la parole :

— Connais-tu un certain Niger qui sert dans la garde municipale ?

— Niger ? Non ! comme je te l'ai dit, je ne connais pas tous les gardes !

— Duvius prétend que ce Niger faisait équipe avec le tueur que tu as eu la malchance de ne pas capturer vivant. En y réfléchissant, je pense que Niger devait participer à l'opération de la nécropole et que c'est lui qui a tiré la flèche mortelle pour empêcher son complice de parler. Il faut trouver ce Niger !

— Te rends-tu compte de ce que tu dis ? Je conçois qu'un bandit se déguise en garde, mais qu'un garde assermenté soit mêlé au complot, c'est inconcevable !

— Tout dépend du prix ! Il doit être très bien payé, suffisamment payé pour pouvoir acheter d'autres complicités ! Ton corps de garde est pourri, Maxumus ! Pour réussir l'enlèvement du questeur et la fausse évasion de Duvius, ils ont dû s'y mettre à plusieurs !

— Ce n'était pas ma garde qui était chargée de la protection du questeur !

— Les trois vrais gardes du questeur ont été retrouvés morts ! Ceux qui les ont remplacés n'appartenaient pas à sa garde. Ils étaient quatre pour l'évasion de Duvius. Nous avons leur chef, il reste trois traîtres dont ce Niger !

Maxumus arpentait son bureau comme un fauve privé de viande :

— Je vais tous les convoquer ! Le centurion, les décurions, les hommes, ils vont tous répondre à mes questions !

— Tu devrais commencer par retrouver et interroger ce Niger.

— Et Rufus ?

— J'ai ma petite idée !

— J'exige de savoir !

— Sa femme !

— Quoi, sa femme ? Elle l'a quitté.

— Tu ne sais pas où elle se trouve ?

— Non !

— Ce n'est pas toi qui m'as fait suivre ?

— Suivre ? Où ? Quand ?

— Alors, tout devient de plus en plus clair ! Je lui faisais vraiment peur. Il fallait qu'il me supprime !

— Aper, explique-toi, je t'en conjure ! Ce qui devient de plus en plus clair pour toi est de plus en plus opaque pour moi !

— Tuccia ! Tuccia est à Aquae Sextiae. C'est là que j'ai une chance de retrouver Rufus !

— Tu ne peux y aller seul ! Je te fais escorter !

— Par ta garde ? Merci ! Occupe-toi de faire le ménage chez toi ! Tu m'excuseras si je n'assiste pas à la représentation !

Nestor attendait Marcus à la taverne. Il avait la mine renfrognée. Au premier coup d'œil, Marcus devina que sa mission avait échoué. Nestor attaqua sans préambule :

— Maxumus connaissait la grotte !

— Duvius n'en a pas parlé devant lui.

— Donc, il n'avait pas besoin de lui pour la connaître. Un de ses gardes était là avant moi. J'ai retrouvé la sente dans les ronces. Le lieu était désert. J'ai attaché mon cheval à un arbuste. A l'entrée de l'aven, j'ai vu une torche éteinte posée sur la terre. J'ai battu le briquet et je me suis enfoncé dans une haute galerie, de la voûte pendaient des stalactites. J'ai abouti dans une grande salle d'où partaient plusieurs diverticules. J'ai aperçu, au fond d'une de ces galeries, une lueur qui s'éloignait. Mes yeux s'étant habitués à l'obscurité, j'ai éteint ma torche et j'ai poursuivi le point lumineux. Je me suis heurté à des sacs pleins d'objets métalliques, ils n'ont donc pas refourgué tous leurs larcins.

« La galerie faisait un coude, et soudain j'ai vu un petit cercle de ciel. L'homme qui me précédait était très loin devant moi. Il portait une sacoche. Je l'ai vu courir dans la lumière et sauter sur un cheval. Sa chlamyde flottait au vent. Il avait disparu quand je suis sorti de la grotte du côté opposé à celui par lequel j'étais entré. Il m'était impossible de le rattraper, mais je pense qu'il était venu chercher la même chose que moi. J'ai contourné la colline à travers les ronces et je suis revenu au galop t'attendre ici. Je viens d'arriver. Mon cheval est devant la porte.

— Nous repartons sur-le-champ ! dit Marcus.

— Sans manger ?

La serveuse apportait le boudin froid et le jambon commandés par Nestor. Marcus sortit sa serviette de sa poche, enveloppa la cochonnaille, la mit dans les mains de Nestor, posa quelques as sur la table et entraîna son affranchi vers la porte.

— Tu me prends en croupe ! dit-il, nous allons à la première mutatio, on achète deux chevaux et on les change à chaque relais[1]. En route pour Aquae Sextiae !

— Encore ! Pourquoi ?

— Nous allons chez Tuccia !

— Tu crois qu'elle est la complice de Maxumus ?

— Non ! Je crois qu'elle est une épouse fidèle et dévouée.

Dès qu'ils furent dans le premier relais, Marcus enfourcha le cheval que lui présenta le palefrenier, et il imposa une telle cadence à son affranchi que celui-ci renonça bien vite à poser des questions. A cette allure, toute conversation était impossible. Marcus aimait ces folles chevauchées. L'air lui fouettait les joues et lui nettoyait le cerveau. Il commençait à avoir une vision plus précise de la situation. Son *imperator* tant recherché s'imposait à lui sous les traits de Rufus. Rufus qui touchait les taxes des areae, Rufus qui éliminait les concessionnaires de ces mêmes areae pour les revendre à d'autres. Rufus qui n'avait confiance qu'en son épouse. Si les choses s'étaient passées comme le couple l'espérait, l'épouse, soi-disant fugueuse, aurait repris sa place au foyer et

1. On trouvait dans les relais et dans les gîtes d'étapes des chevaux frais pour les voyageurs pressés qui n'avaient pas le temps de faire reposer leurs montures.

ils auraient continué à jouir de leur fortune. En cas de complication, la fuite était programmée ; et la complication était venue du questeur. Atleas avait assez mauvaise réputation pour avoir été capable de se livrer au chantage. Un chantage qui lui avait coûté la vie.

En mettant pied à terre à la mutatio de Carpentorate, Nestor, qui n'arrivait pas à se convaincre de l'innocence de l'édile, dit d'un ton agressif :

— Alors, pour toi, Rufus serait le responsable de tous ces meurtres ?

— Et je ne serais pas étonné que tout l'argent détourné soit chez Tuccia !

— Si tu as raison, c'est lui qui m'a fait suivre à Aquae Sextiae. Il sait que tu le soupçonnes ! Notre enlèvement, l'attentat du cimetière, c'est lui ! Il a une bande de tueurs avec lui. S'il est allé rejoindre sa femme, dès qu'il nous verra arriver, nous pourrons dire adieu à la vie. Nous serons des hommes morts avant d'avoir franchi le seuil !

— A cheval ! Laisse-moi faire ! Je tiens autant à la vie que toi !

Quand Marcus reprit sa course, la fatigue aidant, il se demanda s'il n'était pas en train de perdre son temps. Les époux avaient dû se fixer un autre lieu de rencontre... Maintenant, c'était Nestor qui galopait en tête. La nuit tombait et le sommeil commençait à envahir Marcus. Soudain, Nestor hurla :

— Regarde !

Éclairé par les rayons du soleil couchant, un cheval était étendu sur la route. Ils s'approchèrent. Le cheval agonisait. Marcus eut pitié de son regard suppliant et, pour abréger ses souffrances, il l'acheva d'un coup de poignard. Marcus et Nestor fouillèrent les taillis environnants. Ils espéraient que le cavalier n'était que blessé et qu'on pourrait le sauver en le transportant chez un médecin. Les routes n'étaient pas sûres et les bandits sévissaient de préférence à la tombée de la nuit.

Ils finirent par découvrir un corps allongé dans les broussailles. Quelle ne fut pas leur surprise en reconnaissant Balbus ! Son corps était lacéré de nombreux coups de couteau. Le sang coulait d'une blessure à la poitrine.

— Il est mort ! dit Nestor.

— Non ! il respire !

Balbus avait perdu connaissance. Ils déposèrent le blessé sur la croupe du cheval de Nestor et allèrent au pas jusqu'à la mutatio d'*Apta Julia*[1] . Ils le couchèrent sur un lit dans une chambre de l'auberge et envoyèrent chercher un médecin. Marcus fit monter de l'eau fraîche, du vinaigre et des linges. Pendant que Nestor préparait de la charpie et des bandes, Marcus nettoya les plaies et mit un tampon pour arrêter l'hémorragie. Nestor appliqua des compresses sur le front de Balbus qui, les yeux mi-clos, râlait doucement.

— C'est insensé ! dit Marcus, dans cette affaire, tout le monde ment ! Felix a déclaré ce matin qu'il envoyait Balbus sur la route de Narbo Martius !

— Savait-il que tu avais l'intention d'aller à Aquae Sextiae ?

— Non ! Seul l'édile était au courant !

1. *Apta Julia* : Apt (Vaucluse).

— Et tu as toujours confiance en Maxumus ?

— Réfléchis ! Balbus est parti avant nous. Ce matin, le proconsul m'a laissé seul avec l'édile. Ce n'est pas Maxumus qui a prévenu Felix ; il savait déjà que le duumvir n'allait pas à Narbo Martius ! Felix et Rufus sont de connivence !

— Ou se méfient l'un de l'autre ! Crois-tu que ce sont des bandits de grand chemin qui ont attaqué Balbus ?

— Non ! C'est un cavalier. Il y avait les traces de deux chevaux jusqu'au cheval blessé et ensuite les traces d'un seul cheval.

— L'homme de la grotte ?

— Les documents !

Balbus essayait de parler. Marcus s'agenouilla près de lui. Le mourant murmura :

— Niger !

Il eut un grand sursaut. Tout était fini.

L'aubergiste fit entrer le médecin. Il ne put que constater le décès. L'aubergiste explosa de colère, il exigea qu'on le débarrasse du cadavre.

— Vous l'avez apporté, remportez-le ! Mon auberge est une maison honorable.

Marcus s'impatientait. Il perdait un temps précieux. Niger devait en ce moment remettre les documents à Rufus qui allait s'embarquer pour une destination connue de Dis Pater seul !

— S'embarquer ? dit-il tout haut.

— Quoi, s'embarquer ? fit Nestor.

— Tuccia a parlé de la Grèce, le lieu de leur rencontre doit être *Massalia*[1] ...

1. *Massalia* : Marseille.

Marcus poursuivit en s'adressant à l'aubergiste :

— Je vais te débarrasser de ton cadavre ! Conduis-moi chez l'édile d'Apta Julia !

— Je ne peux pas m'absenter à l'heure du souper !

— Ta femme te remplacera ! Tu n'as pas d'autre alternative, tu viens chez l'édile ou nous partons en te laissant le mort !

— On ne va pas sortir un cadavre devant tous les clients !

— L'édile le fera prendre cette nuit quand tout le monde sera couché. Viens !

Bon gré, mal gré, l'aubergiste finit par se laisser convaincre. La mutatio était située à l'intersection de la voie Domitienne et de la petite route qui reliait Carpentorate à Aquae Sextiae. Le gîte d'étape était à environ deux milles de la cité. Les trois hommes chevauchaient en silence. Bientôt ils arrivèrent devant la muraille qui entourait l'île d'Apta Julia[1] . Ils empruntèrent un pont, firent encore quelques pas sur le decumanus, et l'aubergiste mit pied à terre devant le porche d'une domus.

L'édile d'Apta Julia était en train de souper avec sa famille. C'était un gros père tranquille qui accueillit fort mal ce dérangement inopiné. Il n'apprécia guère de devoir, en pleine nuit, envoyer chercher un cadavre. Et quand il apprit que le cadavre en question était celui d'un homme qui appartenait au proconsul, l'envie lui vint de garder Marcus et Nestor sous les verrous. Mais garder prisonnier le célèbre avocat Marcus Aper serait une bévue qui pourrait être fatale à sa carrière. C'est alors que Marcus lui proposa une

1. Le Cavalon et un bras de cette rivière, aujourd'hui asséché, contournaient la cité.

solution, qui loin de le satisfaire, présentait au moins l'avantage de pouvoir surveiller les témoins du crime sans les mettre en prison.

Son estomac criant au secours, Marcus dut faire un considérable effort de volonté pour détacher son regard de la fricassée de volaille qui fumait sur le guéridon.

— Voilà, dit-il, tu vas envoyer un messager conter les faits à l'édile d'Arausio et un autre...

— Pour enlever le cadavre qui est chez moi ! grogna l'aubergiste, et il ajouta en tournant les talons :

— Ne vous dérangez pas, je connais le chemin !

L'épouse de l'édile, une paysanne celte à la bonne tête ronde et aux yeux bleus, ainsi que son fils, déjà aussi obèse que son père, se taisaient. Ils portaient alternativement leurs regards vers le plat et vers le chef de famille.

— Dis ce que tu as à dire, mais dis-le vite ! rugit l'édile, j'ai faim !

— Nous aussi ! glapit Nestor.

La brave femme tendit la plus grosse cuisse de poulet à son époux et avec un sourire s'adressa aux visiteurs :

— Asseyez-vous et servez-vous, il y en a assez pour cinq !

Toutes les mains s'abattirent en même temps dans la fricassée. Marcus, la bouche pleine, exposa son plan :

— Donc, tu avertis Maxumus, l'édile d'Arausio ! J'y ajouterai un post-scriptum car nous aurons besoin de son aide à Massalia !

— A Massalia ? demandèrent ensemble Nestor et l'édile.

— Il y a toutes les chances pour que l'assassin de Balbus s'apprête à quitter la Gaule. Mais, faites confiance à mon intuition, il ne la quittera pas seul ! Nous devons empêcher le duumvir d'Arausio et son épouse d'embarquer ! Ils doivent avoir avec eux des bagages sonnants et trébuchants ! Il faut immédiatement faire partir un cavalier pour demander à l'officier de la capitainerie de Massalia de ne laisser aucun navire lever l'ancre avant notre arrivée. Nous devons lui faire savoir que nous sommes sur les traces d'un meurtrier !

Le gros homme était paniqué. Il avait hérité d'un cadavre, qui s'avérait appartenir à la suite du proconsul, et maintenant il devait faire la chasse à un duumvir ! Il se voyait déjà relégué au fond d'une mine de sel.

— Ne suffit-il pas de prévenir l'édile d'Arausio ? dit-il en bafouillant.

— Et, avant qu'il arrive, s'il arrive, enchaîna Nestor, l'assassin de Balbus aura filé avec les documents !

— Quels documents ? demanda l'obèse complètement dépassé.

— Je t'expliquerai en route ! interrompit Marcus. Tu devrais envoyer les deux messagers sans perdre de temps ! L'empereur t'en saura gré !

— L'empereur ! murmura le responsable de la police en s'étranglant avec un os de poulet.

L'avocat et l'édile d'Apta Julia rédigèrent les messages. Tandis que les deux gardes prenaient la route, Nestor, Marcus et leur hôte s'octroyèrent une heure de sommeil.

La rheda de l'édile d'Apta Julia était déjà attelée. Elle attendait devant le porche. Le jour n'était pas levé. Nestor, qui n'avait pas dormi son compte, courait derrière son maître tout en rouméguant :

— Ce n'était pas la peine de me bousculer, il n'est même pas là !

Ce « il » grincheux désignait naturellement Gedemo, le ventripotent édile. Il arriva enfin, en trottinant et en finissant de boucler son ceinturon. Marcus monta dans la voiture, tira Gedemo à l'intérieur, Nestor le poussa et sauta sur le siège à côté du cocher. Quatre gardes à cheval les escortaient.

— Épatant pour passer inaperçus ! grogna Nestor.

Dès qu'il se fut installé sur la banquette, en prenant toute la place, le gros Gedemo se mit à ronfler. Marcus pensa à la longue journée qui l'attendait. Il s'assoupit.

Ils arrivèrent à l'aube au dernier gîte avant Aquae Sextiae. Il fut convenu que Marcus et Gedemo y attendraient Nestor pendant que celui-ci irait en reconnaissance à la domus occupée par Tuccia.

Nestor avala à la hâte un substantiel en-cas et se

fit déposer en voiture à un bloc de la domus. C'était l'heure du ramassage des latrines. Les employés de la voirie effectuaient leur nauséabond transbordement devant l'échoppe qui jouxtait la porte close de la domus. Nestor s'approcha du porche. C'est alors qu'un gamin, qui reposait un seau vide, lui dit d'un ton gouailleur :

— Si tu étais du voyage, tu as raté le *carpentum*[1] ! Du bout de la rue, j'ai vu trois hommes et deux femmes s'engouffrer dans une voiture et filer en direction du forum. Ils avaient plein de bagages et il y a un des hommes qui a fermé le portail à clef. Tu peux toujours cogner, il ne doit plus y avoir personne là-dedans !

— Elle était comment, la voiture ?

— Noire !

— Combien de chevaux ?

— Sais pas ! plusieurs. T'as pas une petite pièce ?

Nestor lui donna un as, le gosse fit la grimace, et Nestor retourna à l'auberge.

Gedemo et Marcus dégustaient un pâté de foie de canard arrosé d'un petit vin des coteaux quand Nestor fit irruption. Il commanda une cervoise et lança à Marcus avec un sourire ironique :

— Tu bois du vin, maintenant ?

— Obligatoire ! Avec du foie de canard ! Alors ?

— Alors... Ils sont tous partis avec les bagages dans une voiture noire en direction du forum !

— Qui, tous ?

— Trois hommes et deux femmes.

— Rufus ? Tuccia ? Niger ?

— Sais pas !

1. *Carpentum* : voiture couverte, à quatre roues.

— Quelle sorte de voiture ?
— Sais pas !
— Tu te payes ma tête ! Des bagages pour aller au forum ?
— Du forum on peut se diriger vers le levant, vers le couchant, vers le septentrion...
— Je crois plutôt qu'ils allaient en direction de la mer ! conclut Marcus.
— Alors, qu'est-ce qu'on attend ! hurla Nestor.
Gedemo soupira :
— Laisse-moi finir mon pâté !
Mais l'avocat et son affranchi le propulsèrent dans la rheda. Voiture et cavaliers se précipitèrent en direction de Massalia. Il leur fallut deux heures en une seule traite pour atteindre la cité phocéenne.

Massalia, ville fédérée, n'était pas soumise à la juridiction du proconsul de la Narbonnaise. Elle relevait d'un intendant de l'empereur et était administrée par le Conseil des Quinze. Pendant la guerre civile[1], Massalia avait eu l'imprudence de s'opposer à César en restant fidèle à Pompée et au sénat. César victorieux l'avait privée de sa suprématie maritime et militaire en créant le port de *Forum Julii*[2]. L'Empire n'avait rien fait pour son relèvement, au contraire, il avait favorisé ses concurrentes Narbo Martius et Arelate. Elle n'en demeurait pas moins une cité de paix et de prestige, un centre culturel hellénisé depuis sept siècles et un port actif, mais désormais plus concerné par le cabotage que par les expéditions lointaines.

Ils pénétrèrent dans la cité par la porte Gallica. Derrière les hautes murailles de pierres roses, en par-

1. 49 avant J.-C.
2. *Forum Julii* : Fréjus.

tie détruites par César, la ville se présentait comme une presqu'île en forme d'amphithéâtre qui regardait vers le midi. Sur la hauteur s'élevaient le temple d'Artémis d'Éphèse et celui d'Apollon Delphinos. Au levant, un petit cours d'eau, le Lacydon[1], venait se jeter dans l'eau du port.

Il ne pouvait être question pour Marcus d'arriver dans un équipage aussi voyant jusqu'à l'agora du port sans éveiller les soupçons des fuyards. Il était peu probable que la capitainerie du port ait pris en considération les consignes de l'édile d'Apta Julia dont elle n'avait que faire ! Or, Marcus avait à Massalia un très bon ami, Crinas, un médecin qui, neuf ans auparavant, avait offert dix millions de sesterces à sa cité pour la réfection d'une partie des remparts. Marcus indiqua au cocher l'emplacement de la domus du riche Massaliète. Elle était située à l'est du forum romain sur le decumanus.

Il suffit à Marcus de décliner son identité pour que le concierge, après avoir pris les ordres de son maître, revînt ouvrir la porte cochère. Voiture et cavaliers entrèrent dans la cour. Marcus se dirigea seul vers le porche de la maison d'habitation, et un esclave l'accompagna dans la chambre de Crinas. De très vieux vases grecs : œnochoé de Rhodes, hydrie à figures noires, amphore à figures rouges, cratères en volutes, à colonnettes, en calice, posés sur des étagères, faisaient défiler autour du lit des cortèges de dieux, des combats homériques, Héraclès, les amazones, des centaures, les ébats athlétiques des éphèbes. Cette inestimable collection avait toujours fait l'admiration de Marcus. Le vieillard était encore couché.

1. La Canebière suit le cours du Lacydon asséché.

— Aper ! Quelle joie de te voir ! Surtout, ne t'inquiète pas, je ne suis pas malade. Ma connaissance de la science des astres m'aide à repousser l'heure du « passage », comme disent les Gaulois. Seulement, je reste au lit le matin quand tout le monde s'agite et je m'agite à l'heure de la méridienne quand tout le monde se repose. L'avant-midi, je suis en gestation, l'après-midi, j'accouche ! Tu ne m'avais pas habitué à te déplacer en pareil équipage ! Tes compagnons viennent-ils m'arrêter pour sorcellerie ?

— Nous sommes sur les traces d'un homme que l'édile d'Apta Julia doit arrêter pour meurtre !

— Qui est votre suspect ?

— Pour le moment, nous sommes avec Nestor les seuls témoins du crime. Disons que l'édile me garde à vue tant que je n'aurai pas retrouvé le vrai coupable.

— Les lois massaliotes ne permettent pas à un édile d'une autre cité de procéder à une arrestation sur notre sol ! Il vous faut un ordre signé par l'un des Quinze. Apollonides ne peut rien me refuser ! Je vais te faire accompagner chez lui. Il te signera un mandat avec le nom en blanc. Avec la folie qui s'est emparée de notre ville, c'est le seul que tu trouveras dans sa demeure. Eh oui ! Tu n'es pas sans savoir que notre aristocratie s'est convertie au culte d'Isis ! C'est le jour de la grande procession. Raison de plus pour que je reste au lit !

Crinas ne posa aucune question à Marcus. Maintenir les hommes en vie était sa seule préoccupation. Fuir les contrariétés et l'agitation constituait sa règle d'existence.

On laissa la rheda et les chevaux dans la cour de Crinas. Les quatre hommes de Gedemo, confiés à

Nestor, eurent pour mission d'obtenir le nom des bateaux en partance. Nestor s'était réservé la tâche de retrouver les fuyards.

Apollonides habitait dans le quartier résidentiel à quelques pas de chez Crinas. Marcus et Gedemo arrivèrent juste à temps. Le conseiller était sur le départ. L'affranchi de Crinas, bien connu d'Apollonides, sut dire les mots qu'il fallait. Marcus obtint son mandat.

— Je pars pour ma villa du bord de mer ! dit Apollonides, les cortèges d'hommes au crâne rasé me font bouillir le sang. Je redoute la vengeance d'Artémis !

Le conseiller était pressé, il expédia les civilités. Ce qui ne fut pas pour déplaire à Marcus ; il entraîna Gedemo vers le port. Le pauvre édile, le ventre en avant, trottinait derrière Marcus comme une femme enceinte derrière son époux.

En arrivant sur le quai, Marcus fut surpris par le nombre d'hommes mal rasés, en guenilles, qui déambulaient à la recherche d'un emploi. Cette main-d'œuvre sans spécialité était à l'affût des navires en partance. Il n'y avait que trois vaisseaux dans le port : une *corbita*, beau et puissant voilier de commerce à la coque ronde, un vieux *ponto* ventru à la proue pointue et, le plus beau des trois, l'*actuaria*, navire à voile actionné par des rameurs, qui possédait la légèreté des galères et la capacité des voiliers. L'actuaria effectuait son chargement. Un homme assis derrière un pupitre au bas de la passerelle notait sur un registre les jarres, les sacs de céréales et les filets contenant des poteries que les *saccarii* montaient sur le bâtiment. Dans ce va-et-vient incessant, ils croisaient des *subarranii* qui transportaient les pierres et les sacs de sable destinés à caler la cargaison. Du côté de la ville, les quais étaient bordés par une enfilade de loges servant de bureaux aux naviculaires, aux services financiers de l'Empire chargés de percevoir le quarantième de la valeur des marchandises entrant dans le port, et aux services financiers de Massalia qui prélevaient les droits de port en fonction de la durée du séjour du navire et de son encombrement. La loge du centre était le siège de la capitainerie. L'officier affectait un emplacement aux navires qui venaient aborder et assurait la police du port.

Deux des hommes de Gedemo s'étaient joints à un groupe de badauds qui écoutaient un vieux marin raconter son naufrage. Marcus marcha jusqu'au bout du quai à la recherche de Nestor. Une grande animation régnait dans le chantier naval. Des charpentiers, les *fabri nauales*, s'activaient autour de carcasses en cales sèches, les *stuppatores* restauraient l'étanchéité des coques en enfonçant de l'étoupe de chanvre entre les bordages et en enduisant la coque de goudron. Plus loin, les *uelarii* réparaient les voiles de lin. Marcus cherchait désespérément, Nestor était introuvable.

Marcus entra avec Gedemo dans la capitainerie, et il demanda à parler à l'officier. Celui-ci, un vieux loup de mer contraint par l'âge à jouer les chiens de garde, avait bien reçu le message de Gedemo. Il les assura que le capitaine de l'actuaria, seul navire qui devait lever l'ancre dans la journée, lui avait remis la liste des passagers : deux commerçants qui se rendaient à Ostia. Il ne pouvait s'agir des personnes recherchées par l'édile. Ces commerçants étaient des personnes respectables bien connues de ses services.

— Les suspects ne peuvent-ils embarquer clandestinement ? demanda Marcus.

— Le navire est surveillé en permanence par mes hommes !

— Ne pourrait-on effectuer une fouille du navire avant qu'il prenne la mer ?

— Ce n'est pas conforme aux usages. Je ne me risquerai pas à indisposer le propriétaire qui n'est autre qu'Apollonides, l'un des Quinze !

— Justement ! rétorqua Marcus, j'ai un acte signé d'Apollonides qui m'autorise à toute initiative qui favoriserait ma mission !

Marcus lui montra le papyrus, ou plus exactement la signature en bas du papyrus, et ne lui laissa pas le temps de lire le texte.

— En ce cas, dit l'officier, que l'édile revienne à la neuvième heure, je l'accompagnerai avec mes hommes pour visiter l'actuaria.

Ils prirent congé du chef de la capitainerie après lui avoir demandé si l'affranchi de l'avocat n'était pas venu le voir. Nestor n'était pas passé à la capitainerie.

— Je crois que tu as été trop confiant en ton intuition ! grommela Gedemo. Ce Niger, ton duumvir et son épouse ne sont pas à Massalia ! N'oublie pas que pour le moment tu es le seul témoin du meurtre commis dans ma cité ! Ce ne serait pas la première fois que le crime serait signalé aux autorités par l'assassin en personne.

Marcus ne l'écoutait pas. Il voulait retrouver Nestor. Il ne lui restait plus que les tavernes. Il y en avait beaucoup ! Des bouges pleins d'hommes avinés et de filles aux seins débordant des corsages. Pour entrer, il devait bousculer les mendiants qui s'agglutinaient à la porte des estaminets. Il regardait à l'intérieur et ressortait. Toujours pas de Nestor ! Rien non plus qui ressemblât à Niger.

Il commençait à désespérer. Rufus avait-il un ami à Massalia chez lequel il restait caché jusqu'à son départ ?... Nestor avait dû décider de faire la tournée des loueurs de chambres...

Marcus entra dans une taverne qui lui sembla moins mal famée que les autres. Elle était située sur l'agora du port. Il interrogea le tenancier et lui demanda les adresses des auberges où il serait susceptible de trouver des chambres pour lui et son ami.

— C'est ici que tu trouveras la meilleure chambre ! dit l'homme.

Un beau sesterce d'argent mit son interlocuteur en confiance. Il paraissait sincère, il n'avait reçu aujourd'hui aucun autre voyageur sollicitant une chambre.

Gedemo, épuisé, s'était attablé et avait commandé un pichet de vin des coteaux. Marcus le rejoignit et demanda une cervoise. Soudain, il crut être la proie d'une hallucination : dans le fond de la salle, Nestor était tranquillement en conversation avec une femme. Ils étaient seuls à une table. La femme semblait jeune et jolie. Sa toilette frappa Marcus. Il avait déjà vu cette tunique bouton-d'or galonnée de pourpre. « Mais oui ! » se dit-il, « c'est celle que portait Tuccia quand nous nous sommes rencontrés dans sa voiture ! »

— Attends-moi ! lança-t-il à Gedemo en bondissant à la table de Nestor.

Marcus restait là, planté devant la jeune fille. Avec ce visage enfantin, ces grands yeux bleus, ces cheveux noirs et lisses recouverts d'un voile jaune, elle ressemblait à ces déesses de terre cuite peinte qui se vendaient dans les échoppes de pacotilles. Elle regarda Marcus :

— Je ne suis pas Tuccia !

— Où est-elle ?

Les grands yeux suppliants se tournèrent vers Nestor.

— Parle ! lui dit-elle, maintenant, tu en sais autant que moi !

Marcus s'assit, Nestor lui commanda une cervoise. Gedemo vint les rejoindre. Marcus brûlait d'impatience.

— En arrivant au port, dit Nestor, j'ai interrogé des marins et j'ai tout de suite appris que seule l'actuaria devait appareiller dans la journée. Je suis allé au bureau du naviculaire de sa compagnie. Aucun passager correspondant aux personnes que nous cherchons n'était enregistré. J'ai chargé mes quatre compagnons de glaner des renseignements et je leur ai donné rendez-vous à la taverne *Aux mamelles d'Artémis*. J'ai pensé qu'il existait sûrement un gars de l'équipage qui devait arrondir sa solde en cachant des clandestins. J'ai fini par trouver le bouge fréquenté par les marins de l'actuaria. J'ai fait courir le bruit que je cherchais à embarquer discrètement et que j'étais prêt à payer largement. Soudain, j'ai entendu des cris de femme sur le quai. J'ai bondi dehors, trois ivrognes s'en prenaient à une femme qui ne ressemblait pas aux filles à marins.

— Il a été superbe ! dit-elle en lui prenant la main.

— Je n'ai pas grand mérite ! objecta modestement Nestor, ils étaient tellement ivres qu'il m'a suffi de trois chiquenaudes pour les faire tomber sur les fesses. J'ai pris leur victime par la main et nous avons couru jusqu'ici.

— Pourquoi portes-tu cette robe ? demanda Marcus à la jeune fille.

— C'est celle de Tuccia !

— Je sais ! Alors, tu la connais ? Où est-elle ? Son mari est-il avec elle ? Sais-tu qui est Niger ? Réponds à mes questions ! Le temps presse !

Le ton brusque de Marcus produisit le contraire de l'effet escompté. La jeune fille se tut et fondit en larmes.

— Luciola est l'*ornatrix*[1] de Tuccia, poursuivit Nestor. A Aquae Sextiae, Tuccia avait ordonné à Luciola de préparer les bagages en lui disant qu'ils partiraient dès l'arrivée de son époux. Elle avait fait porter dans l'atrium un coffre très lourd qui la suivait partout et dont Luciola ignore le contenu. Ensuite, Tuccia a obligé Luciola à mettre l'une de ses tuniques, tandis qu'elle enfilait la robe de drap de sa servante. Quand le duumvir est arrivé, il n'est même pas descendu de voiture, ils sont tous partis au petit matin, à l'heure des vidangeurs de latrines. Ils avaient rendez-vous dans une cabane de pêcheur avec un homme qui devait apporter une chose importante. L'homme les attendait dans la cabane du pêcheur. Luciola l'avait déjà vu.

— J'en suis sûre, il s'appelle Niger ! dit-elle, il m'a toujours fait peur. Le pêcheur était en mer. Sa femme a dit qu'il ne nous attendait pas si tôt. Elle ne savait pas quand il reviendrait. J'étais effrayée. Je les entendais dire qu'on allait prendre la barque pour aller rejoindre un navire dans un autre port... La femme a servi la soupe. J'ai feint d'aller chercher de l'eau au puits pour l'aider. Comme une folle, j'ai pris mes jambes à mon cou... Sur le chemin, un charretier m'a proposé de me déposer au port si c'était là que j'al-

1. *Ornatrix* : coiffeuse, femme de chambre.

lais. J'ai dit oui. Je ne savais pas où j'allais. Tout ce que je savais, c'est que je ne voulais pas monter dans cette barque !

— Tu vas nous conduire à la cabane du pêcheur !

— Non ! non ! Je ne veux pas y retourner. Je les ai trahis ! Ce Niger me fait peur, il me tuerait !

— Mais tu ne peux pas rester toute seule sur le port. Avec moi tu ne crains rien !

Nestor partit chercher les quatre hommes de Gedemo *Aux mamelles d'Artémis*. De là, ils devaient récupérer les chevaux et la voiture chez Crinas et retourner attendre Marcus devant la capitainerie. Marcus, Gedemo et Luciola allèrent directement à la capitainerie. Marcus exposa son plan à l'officier. Il n'était pas question de laisser aux fuyards le temps d'aborder un navire de haute mer. Il fut décidé que les barques des gardes-côtes resteraient cachées dans les criques, prêtes à intervenir au premier signal. Luciola expliqua du mieux qu'elle put où se trouvait la cabane du pêcheur. L'officier en déduisit que la cabane devait être un peu à l'écart du hameau des pêcheurs qui amarraient leur *cydanum*[1] dans la calanque, à environ deux milles de la porte Est des fortifications.

— Écoutez-moi bien ! dit Marcus, un sonneur de trompe se postera en faction sur la côte tous les cent pas. Dès que l'un d'eux apercevra la barque des suspects, il lancera un appel qui sera répété par les autres guetteurs. Ce sera le signal pour les gardes-côtes. Ils prendront la mer pour encercler les fuyards.

Marcus donna ensuite la description précise des

1. *Cydanum* : barque de pêche.

personnes à appréhender : Niger, Rufus et Tuccia. Il attira l'attention sur le fait que les bagages devaient contenir des documents d'une importance capitale.

— Les effets personnels sont dans le coffre qui n'a qu'une seule serrure, dit Luciola. Le coffre qui renferme le contenu secret a deux serrures !

— Les documents dont je parle, poursuivit Aper, ont été apportés par Niger. Nous ne savons donc pas où ils ont été mis. Peut-être dans un des deux coffres, peut-être dans une sacoche. Tous les bagages doivent être remis à l'édile et à moi !

Le pauvre Gedemo restait prostré sur un tabouret, il se demandait dans quelle nouvelle bataille d'Actium allait l'entraîner ce fou d'avocat. Luciola dévorait des yeux ce demi-dieu qui allait la libérer de sa vie d'esclavage.

L'officier chargea un subalterne de faire exécuter les ordres. Nestor et les cavaliers de Gedemo attendaient devant la capitainerie. Marcus alla expliquer le chemin à prendre au cocher de la rheda. Lui, Nestor et Gedemo prirent place à l'intérieur de la voiture. Les cavaliers suivaient.

— Il y avait trois hommes, au départ d'Aquae Sextiae, dit Marcus, avec Niger et le marin, ils doivent être au moins cinq ! Nous avons quatre hommes d'armes en plus de nous trois ! Si nous arrivons avant qu'ils aient pris la mer, je ne pense pas que Rufus acceptera de nous suivre. Nous allons devoir le contraindre. Gedemo, je compte sur toi pour parler à tes hommes : de la fermeté, mais pas de sang !

— Où est Luciola ? demanda Nestor.

Marcus avait trop de préoccupations pour se soucier de la jeune fille :

— Elle est restée à la capitainerie ! Nous nous occuperons d'elle plus tard !

Les chevaux trottaient sur le chemin de terre qui longeait le littoral. La mer était calme. Au large, des pêcheurs remontaient des filets ventrus grouillant de reflets argentés.

— Regarde ! cria Nestor.

L'actuaria, sortie du bassin, hissait la grand-voile. Voiture et cavaliers dépassèrent le hameau des pêcheurs. Des femmes assises devant leur porte réparaient des filets, tandis que d'autres filets étendus séchaient au soleil. Un peu plus loin, en contrebas du chemin, un ruban de fumée serpentait au-dessus d'un toit de tuiles roses. Marcus fit arrêter la voiture à l'embranchement d'une sente qui descendait vers la cabane. Les quatre cavaliers partirent devant. Ils avaient pour mission de garder la porte de l'habitation et d'empêcher quiconque d'en sortir. Gedemo, Marcus et Nestor suivaient à pied. Quand ils arrivèrent tous les trois devant la porte, ils virent un étrange spectacle. Un des hommes de Gedemo liait les mains du duumvir à un anneau scellé dans le mur de la cabane, tandis que deux autres maintenaient solidement un individu que ni Marcus, ni Nestor n'avaient jamais vu. Rufus hurlait comme un sanglier qu'on égorge :

— C'est une infamie ! Vous me le paierez !

Marcus cria :

— Les autres ? Tuccia ? Niger ? Où sont-ils ?

Un des gardes d'Apta Julia désigna la grève.

— Attachez l'homme et venez avec nous ! poursuivit Marcus en courant vers la mer.

Une barcasse s'éloignait avec à son bord : le marin, Niger, et Tuccia tenant une sacoche sur ses genoux. Un premier guetteur avait bien vu une barque prendre la mer, mais comme il n'y avait pas le nombre prévu de passagers, dans le doute il s'était abstenu de donner l'alarme. Un autre, plus malin, avait trouvé la présence d'une femme assez inhabituelle pour justifier un coup de trompe. Les trompes, une à une, se répondirent, et bientôt une flottille de gardes-côtes se lança à la poursuite des fuyards. Rejointe à bâbord et à tribord, la barque du pêcheur se mit à danser. Elle fut prise à l'abordage par de nombreux gardes qui ligotèrent les passagers et ramenèrent leur embarcation à la traîne.

Sur la grève, un des gardes de Gedemo venait de rendre le dernier soupir.

— Encore un crime à l'actif de Niger ! marmonna Nestor. Le temps de la bagarre, le marin et Tuccia ont dû monter dans la barque et, une fois débarrassé de son adversaire, Niger les a rejoints.

Six barques de gardes-côtes mouillèrent en même temps dans la calanque. Tous débarquèrent poussant devant eux Tuccia, Niger et le pêcheur liés comme des saucissons. On les aligna devant la cabane à côté de Rufus et de l'homme de main.

— Beau tableau de chasse ! ricana Nestor.

Marcus se planta devant Tuccia et la regarda droit dans les yeux :

— La brouille est oubliée ? On s'apprêtait à repartir en voyage de noces ?

— Sale porc ! hurla la distinguée matrone qui donnait enfin libre cours à sa vraie nature.

Rufus vociférait toujours :

— Qu'espères-tu faire de nous, Aper ? Tu n'as aucun pouvoir pour oser garder prisonnier un duumvir !

— J'ai le pouvoir d'arrêter le dénommé Niger, meurtrier d'un de mes gardes ! dit Gedemo.

— Légitime défense ! hurla Niger.

— Et l'homme que tu as assassiné à Apta Julia, légitime défense ? poursuivit Gedemo qui commençait à se féliciter d'avoir suivi Marcus.

— En quoi cela te regarde-t-il ? rugit Niger.

— Je suis l'édile d'Apta Julia !

— Nous sommes à Massalia, cité libre ! Ce que vous faites est illégal ! ricana Rufus.

— J'ai un mandat signé par l'un des Quinze ! Il m'a désigné pour agir en son nom. Il ne reste plus que le tien à porter sur le document.

Il n'avait pas fini de prononcer ce mot qu'une idée traversa l'esprit de Marcus. Il hurla :

— La sacoche que portait Tuccia ?

— Je l'ai jetée à la mer ! dit-elle en ricanant.

Un garde-côtes brandit un sac de cuir dégoulinant d'eau.

— Je l'ai vue faire ! J'ai plongé, le voilà !

Marcus avait envie d'embrasser ce brave garçon ! Il se saisit de l'objet précieux, l'ouvrit. Il contenait quelques rouleaux manuscrits un peu délavés. La sacoche avait dû flotter, l'écriture restait lisible.

On fit entrer les prisonniers dans la cabane. La femme du pêcheur pleurait dans un coin. Deux gros coffres étaient posés sur le sol de terre battue. Marcus fit sauter les serrures des coffres avec son couteau. L'un d'eux était plein de pièces d'or.

— Ceci est mon bien personnel ! Tu n'as pas le droit ! hurla Rufus.

— Tu n'avais pas le droit de sortir une telle somme sans en avertir la capitainerie ! Tu seras entendu. Tu devras expliquer la provenance de cet or !

Marcus poursuivit en s'adressant aux trois gardes de Gedemo :

— Suivez-moi et portez cette caisse dans le coffre de la rheda de l'édile !

Avant de partir, Marcus demanda aux gardes-côtes de rester sur place pour surveiller la maison. On coucha le mort sur la table. Marcus, Nestor, Gedemo et ses trois cavaliers se dirigèrent avec la malle pleine d'or vers la rheda qui les attendait à l'embranchement du sentier. Un énorme coffre de bois était fixé sur une sorte de porte-bagages métallique à l'arrière de la voiture. Nestor ouvrit le couvercle pour que l'on dépose la malle d'or à l'intérieur du coffre à bagages. C'est alors que leur apparut Luciola recroquevillée dans le coffre ! Une Luciola cramoisie, au bord de l'asphyxie.

— Depuis quand es-tu là ? firent ensemble Marcus, Nestor et Gedemo.

— Tout à l'heure, à la capitainerie, vous parliez de retourner à la cabane, vous ne pensiez plus à moi ! Je me suis sauvée sans que vous me voyiez, je me suis cachée dans le coffre de votre voiture ! Je n'ai nulle part où aller... Je veux rester avec toi, Marcus ! Je serai ton esclave... Tu as besoin d'une femme pour tenir ton ménage !

— Mon ménage ? dit Marcus en hurlant de rire, mais je n'ai pas de ménage ! Allons, monte dans la voiture ! Nous verrons plus tard ce que nous ferons de toi ! Au port ! Et vite ! cria-t-il au cocher.

A la capitainerie, les guetteurs faisaient à l'officier le compte rendu de la capture des prisonniers. Marcus termina le récit et demanda au chef de garder la caisse d'or dans un lieu sûr.

— Que vais-je faire des prisonniers ? demanda l'officier, conscient de s'embourber dans l'illégalité. Parmi eux, il y a un homme qui a commis un meurtre dans ma cité, celui-là, je dois m'assurer personnellement de son incarcération ! Il sera jugé à Massalia ! Mais les autres ?

— Sûrement pas ! objecta l'édile d'Apta Julia. Celui-là, un certain Niger, a commis un assassinat sur mon territoire. De plus, l'homme qu'il a abattu à Massalia était un garde municipal d'Apta Julia. Son procès doit avoir lieu dans ma cité !

— Je pense, interrompit Marcus, que le procès devra mettre en cause des personnages d'un rang trop élevé pour qu'il soit confié à des autorités provinciales. Il relève de la compétence de Rome !

Puis il s'adressa au chef de la capitainerie :

— Je n'attends qu'un seul service de toi, que le mandat signé par Apollonides me permet d'exiger : jusqu'à ce que d'autres ordres te parviennent du conseil des Quinze, je te demande de maintenir sous bonne garde les cinq suspects qui sont actuellement dans la cabane du pêcheur sous la surveillance de tes gardes-côtes.

Marcus inscrivit les noms dans l'espace laissé en blanc sur le mandat : Rufus, duumvir d'Arausio, Tuccia, son épouse, Niger, coupable de deux crimes dont on avait retrouvé les cadavres. A cette liste, il ajouta les noms des deux complices, le pêcheur et l'homme de main de Rufus.

— Un duumvir ? une femme ? gémit l'officier. Mais je n'ai aucune preuve de leur culpabilité pour les garder prisonniers !

— Pour l'instant, contente-toi du délit de complicité de meurtre ! Va faire enlever le cadavre ! Triple la surveillance de la cabane et fais-leur porter à manger !

— Manger ! C'est la meilleure idée de la journée ! glapit Nestor. Que dirais-tu de la taverne de l'agora ?

Imperturbable, Marcus continuait de donner ses ordres :

— Envoie un messager à Apollonides ! Fais-lui savoir que je souhaite le rencontrer. Je suis pressé, je dois être au théâtre d'Arausio demain avant le crépuscule. Si je n'arrive pas à temps, un homme sera livré à la sauvagerie d'une bête affamée. Tu pourras me joindre à la taverne de l'agora !

A l'annonce de cette bonne nouvelle, Nestor se dirigea vers la porte en entraînant Luciola. Marcus et Gedemo les suivirent. Ils se rendirent à pied à la taverne. Marcus serrait la sacoche contre lui. Il était impatient de pouvoir enfin prendre connaissance de ces fameux documents qui devaient lui fournir la clef du mystère.

Le tavernier leur apporta une superbe oie rôtie. La vue de ce volatile, condamné au supplice de la broche pour avoir causé la mort de tant de Gaulois au Capitole, procura à Nestor une délectation vengeresse. Bien que ces considérations chauvines ne vinssent à l'esprit d'aucun des autres convives, tous se régalèrent. Depuis que Nestor séjournait en Narbonnaise, il n'arrêtait pas de penser que quelque chose était pourri dans l'aristocratie de Rome et que les colons de l'ex-Transalpine singeaient tout ce qu'il y avait de pire à Rome ! Seule la conclusion de ses cogitations fut prononcée à haute voix :

— Quand retournons-nous en Gaule ?

Marcus, surpris par cette question, répondit la bouche pleine :

— Quand nous aurons achevé ce que nous avons entrepris !

Il repoussa son assiette, rangea son couteau pliant, but d'un trait son gobelet de cervoise, en commanda un autre, essuya la table devant lui avec sa serviette et sortit les rouleaux de la sacoche. D'une voix qui n'admettait pas de réplique, il déclara :

— J'ai besoin de silence, taisez-vous !

Il se plongea dans sa lecture. Le premier papyrus qu'il déroula comportait trois colonnes : des noms, des dates, des chiffres. Nestor ne le quittait pas des yeux. Il vit avec terreur les joues de son maître passer du rose au rouge et du rouge au violet. Des perles de sueur apparaissaient à la naissance des cheveux. Marcus roula le feuillet et laissa échapper un : « Tonnerre de Zeus ! » retentissant. Tous les regards étaient suspendus à la bouche de Marcus. Mais leur curiosité resta inassouvie ; l'avocat n'en dit pas davantage. Marcus en savait beaucoup plus qu'il n'espérait, il rangea le rouleau dans la sacoche. Le tavernier apportait le ragoût. Seul le bruit des mandibules troublait un silence obsédant. C'est alors qu'Apollonides pénétra dans la taverne. Marcus se précipita vers lui.

— Je ne pensais pas que tu te dérangerais en personne ! dit-il au conseiller. Je me serais rendu à l'endroit fixé par ton messager !

— Tavernier ! dit Apollonides, donne-nous une chambre ! Nous avons à parler de choses confidentielles !

Les deux hommes s'enfermèrent dans un réduit au premier étage.

— J'avais cru, dit le conseiller, qu'il ne s'agissait que de l'arrestation d'un vulgaire assassin, il s'appelle Niger d'après ce que j'ai compris ! Mais un duumvir ? Es-tu devenu fou ?

— J'ai toutes les preuves de sa culpabilité, rétorqua Marcus, la liste écrite des sommes indûment perçues ainsi que le nom des bénéficiaires...

— Quelle imprudence !

La réaction de son interlocuteur fit naître quelques

doutes dans l'esprit de Marcus quant à l'intégrité du conseiller ! Il poursuivit :

— Je possède une autre preuve, l'or dérobé au Trésor !

— Serait-ce la caisse que tu as laissée à la capitainerie ?

— Je demande aux autorités de Massalia de la conserver en dépôt jusqu'à l'ouverture du procès !

— Ce n'est pas légal !

— Tu dois avertir l'Office des Affaires Provinciales qui siège à Rome. Il est tout à fait légal que la capitainerie de Massalia empêche qu'une telle quantité d'or quitte le port sans autorisation de sortie. Nous sommes confrontés à un scandale financier qui met en cause des personnalités officielles. L'Office des Affaires Provinciales a été créé par l'empereur pour accueillir toutes plaintes des administrés à l'encontre de ses légats, des duumvirs et des magistrats. C'est à nous de faire le nécessaire pour que l'Office se saisisse de cette affaire.

— En attendant les instructions de Rome, je vais assigner à résidence le duumvir et ses complices dans ma villa du bord de mer ! Après en avoir délibéré avec les Quinze.

— C'est une sage décision. Un courrier doit partir pour Rome dès ce soir ! Je suis très inquiet de n'avoir aucune nouvelle de l'édile d'Arausio ! Je l'avais fait prévenir du but de mon voyage à Massalia.

Or, pour confirmer un dicton bien connu des Gaulois, à peine Marcus avait-il fini sa phrase qu'un esclave entra à pas de loup et annonça à l'avocat que l'édile d'Arausio demandait à le voir !

— Qu'il monte ! dit Marcus.

Maxumus, sans se départir de son sourire, paraissait nerveux :

— Je n'ai pu faire plus vite, je suis parti dès que j'ai reçu ton message. A la capitainerie, on m'a dit que je te trouverais ici ! On m'a dit aussi que tu avais intercepté la fuite de Rufus et retrouvé Niger. Je dois les ramener sous bonne garde à Arausio !

— Ce serait une erreur ! interrompit Marcus. Laissons le duumvir être assigné à résidence par le conseil des Quinze pour tentative de fuite de capitaux ! La procédure légale doit être entamée par Rome. Il est urgent d'attendre ! Maxumus, nous savons que Duvius est un voleur et un incendiaire, mais qu'il n'est pas l'auteur des meurtres dont on l'a accusé ! Les coupables étaient pressés de lui fermer la bouche à jamais. Il faut empêcher l'ignominie de cette mise à mort ! Tu dois immédiatement envoyer l'ordre de livrer un mannequin à l'ours de Calédonie ! Nous devons empêcher l'exécution de cet acte barbare imaginé par Rufus ! Duvius doit vivre, il est un témoin capital dans ce procès.

— Que transportes-tu de si précieux ? demanda Maxumus en voyant la sacoche que Marcus tenait serrée contre lui.

— Des affaires personnelles ! répondit Marcus qui n'avait aucune envie d'en dire plus pour le moment.

Maxumus fit de grandes démonstrations de reconnaissance à Marcus, lui jura qu'il avait toujours été son ami et s'empressa d'acquiescer à toutes les décisions de l'avocat. Il fit partir sur-le-champ un messager pour Arausio, avec ordre de garder le condamné en cellule et de confectionner un mannequin pour le final du *Laureolus*. Un mannequin capitonné de viande de boucherie, s'entend, pour que l'ours et le public y trouvent leur compte !

— Et le proconsul ? demanda Marcus.

— Il parade dans la loge officielle comme si c'était lui qui avait offert le spectacle au peuple ! J'ai inventé un prétexte anodin pour justifier mon absence.

— Felix t'a fait part de la mort de son homme de confiance ?

— Non !

Apollonides se retira. Il pensait qu'il aurait besoin de toute la nuit pour préparer son discours du lendemain devant le conseil des Quinze.

Gedemo retourna à la capitainerie. Il fit mettre le cadavre dans une longue caisse de bois que l'on fixa sur le porte-bagages de sa rheda. Escorté de ses trois cavaliers, il reprit le chemin d'Apta Julia.

Marcus, Nestor et Luciola montèrent dans la voiture de Maxumus. La nuit était claire, la lune était pleine, et la brise légère. Les chevaux, que l'on avait décidé de changer à chaque relais, galopaient vers Arausio.

Maxumus avait l'air inquiet. Il tenta d'engager la conversation.

— Nous ne pouvons pas parler devant cette jeune fille ! Attendons d'être arrivés dans ton bureau, se borna à dire Marcus.

Nestor, furieux de s'être trompé sur le compte de l'édile, pensait au moment où il serait enfin seul avec son maître. Une cascade de questions déferlait dans son esprit. Luciola s'était endormie, la tête posée sur l'épaule de l'avocat ; lui, il gardait les yeux ouverts et les mains crispées sur sa sacoche.

La voiture de l'édile d'Arausio avait roulé toute la nuit. Marcus et Nestor s'étaient assoupis à tour de rôle. Le soleil se levait quand ils changèrent de chevaux au gîte d'Apta Julia. Cinq heures plus tard, ils passaient sous le porche de la domus municipale d'Arausio. C'était l'heure de la relève de la garde du proconsul.

— Juste le temps de prendre un bain, et je t'attendrai dans mon tablinum à la basilique ! dit Maxumus.

L'avocat et son affranchi montèrent quatre à quatre l'escalier de bois. Luciola était sur leurs talons. Ils entrèrent dans la chambre et fermèrent la porte.

— Qu'allons-nous faire de toi ? dit Marcus en regardant Luciola. As-tu des parents ?

— Quand Rufus et Tuccia se sont installés à Arausio, ils nous ont achetées ma mère et moi en même temps. Mon père était déjà mort. Je ne me souviens pas de lui. Ma mère travaillait aux cuisines. Elle est morte cet hiver d'une pneumonie. Moi, Tuccia m'a prise comme chambrière. Elle disait que je la coiffais bien. Mais elle est cruelle et capricieuse.

Dans ses accès de colère, elle me faisait bastonner par un esclave. Elle regardait et riait. Quand mon dos saignait, sa colère se calmait. Je peux vous montrer les cicatrices !

— Non, non ! Je te crois.

— Elle avait des scènes terribles avec son mari. C'est toujours elle qui finissait par avoir le dernier mot. C'est elle qui tenait les comptes du ménage. Elle cachait l'or et donnait avec parcimonie quelques pièces à son mari. Chaque soir, avant de m'endormir, je me disais : « Demain, tu t'évades ! » Mais je ne savais pas où aller ! On m'aurait retrouvée, on m'aurait ramenée et elle m'aurait encore plus mal traitée.

Nestor avait préparé des vêtements propres sur une banquette. Il brandissait le rasoir et le savon. Il fit asseoir son patient et, tout en le rasant, il lui dit :

— Tu as beaucoup d'amis ! Une bonne ornatrix, tu dois pouvoir la placer !

— Je veux rester avec vous ! s'empressa de dire Luciola.

Marcus avait d'autres soucis en tête. La présence de cette fille l'agaçait, et pourtant, il ne pouvait pas la jeter à la rue !

— Nous sommes toujours en voyage ! reprit Marcus, nous allons devoir partir pour Rome...

— Pour Rome ? interrompit Nestor, voilà une bonne idée, pourquoi ne pas la donner à Criatius Maternus[1] ?

— Nous verrons ! conclut Marcus.

Luciola attendait, debout, les bras ballants. Elle était attendrissante dans sa tunique bouton-d'or fripée et poussiéreuse, avec ses cheveux en bataille et son

1. Criatius Maternus : orateur romain ami de Marcus Aper. Cf. : *Les Vacances de Marcus Aper.*

bout de nez tout noir ! Marcus la regardait. Elle était jolie ! trop jolie. Il se dit qu'il était inenvisageable qu'il puisse, en voyage, partager sa chambre avec quelqu'un d'autre que Nestor ! En revanche, son lit... Il chassa au plus vite cette pensée de son esprit. Dans la voiture, quel supplice ! Ce corps jeune, tiède, abandonné en toute confiance contre lui... Il s'était imaginé être en permanence observé par Nestor et Maxumus. Il n'avait pas osé bouger, il était encore engourdi... « Bon ! se dit-il, cette gamine me trouble, il faut que je m'en débarrasse ! » Il prit sa voix la plus revêche pour lui dire :

— Ne reste pas plantée comme une statue ! Voilà quelques pièces, va t'acheter une robe convenable, et reviens nous attendre ici ! Et lave-toi !

— Je peux m'acheter à manger ? dit-elle en prenant les deux sesterces.

— Bien sûr ! répondit Marcus en grognant et en tirant quelques as supplémentaires de sa bourse.

Nestor finissait de raser son maître. Marcus attendit le départ de Luciola, se mit nu, s'aspergea d'eau froide et enfila sa tunique. Il sortit les papyrus de la sacoche, les déroula et dit à Nestor :

— Regarde !

Son doigt glissait sur la colonne des noms.

— Felix ? glapit Nestor.

— Oui ! Felix, le proconsul !

En face de différentes dates, en regard d'énormes sommes on lisait les noms de Rufus et de Felix qui se répétaient comme une litanie.

— Et ce manège dure depuis longtemps ! ajouta l'avocat.

Nestor n'en croyait pas ses yeux. Tout à coup, il clama en jubilant :

— Regarde ! Le nom de Maxumus apparaît deux fois ! Lui aussi était dans le coup !

— Des sommes ridicules par rapport aux autres ! Passe ton doigt là ! Où il y a écrit Rufus ! Tu ne sens rien ?

— C'est rugueux !

— L'encre a été grattée ! On a écrit un autre nom à la place ! Il est écrit « Rufus » dans un espace qui devait contenir une lettre de plus. Allume une chandelle !

Il regarda le papyrus éclairé par-derrière. On arrivait à deviner cinq lettres, la première était un « A » et les deux dernières « AS ».

— Atleas ! hurla Marcus. Donc il était compromis ! C'est lui qui a dû voler les documents et remplacer son nom par celui de Rufus !

— Rufus ne serait pas mêlé à l'affaire !

— Si ! Fais bien attention, il existe plusieurs fois le nom de Rufus écrit directement sans rature !

— Et les autres papyrus ?

— Ce sont les comptes officiels du Trésor. Il n'y a que les dates qui correspondent ! Et encore pas toutes ! Les chiffres sont différents et les seuls noms qui apparaissent semblent être ceux des assujettis aux taxes ! Attius, Pontius, Bassus, Labienus, et quelques autres !

— Moi, je ne retiens qu'un nom ! dit Nestor triomphant, c'est Maxumus ! Il n'est pas vraiment *candidus*[1] dans ce conte tragique ! Attius, Pontius, Bassus, Atleas, Balbus, la barque de Charon n'a pas chômé ces derniers temps !

— Conduis-moi à la basilique civile !

1. *Candidus* : blanc éclatant, franc.

— Ne sois pas naïf, Maxumus a sûrement pris la fuite !

— Je ne pense pas. Il nous avait à sa merci dans la voiture. Pendant tout le voyage j'ai craint le pire ! Quand il est venu à la taverne, il revenait de la capitainerie. Il savait que j'avais les documents, que j'avais lu son nom sur la liste. Et nous sommes arrivés sans encombre. Il en sait plus que nous ne l'imaginons. Sors la voiture, il n'y a pas de temps à perdre ! Tiens ta langue si tu croises des hommes du proconsul !

Nestor drapa la toge de son maître et marmonna en se dirigeant vers la porte :

— Tu ne trouves pas étrange que le second duumvir d'Arausio n'assiste pas au *Laureolus* ? Personne ne parle de lui, on ne l'a jamais vu. Je ne sais même pas son nom !

Quand ils arrivèrent dans la cour de la curie, Marcus dit à Nestor :

— Va à la taverne du marché à l'huile !

— Je me serais passé de ta permission ! riposta Nestor goguenard.

— Essaie de savoir si Labienus, tu sais...

— Oui, je sais, l'homme qui a racheté les areae de Bassus...

— C'est cela. Il m'a dit qu'il allait à cette taverne quand il était à Arausio. Alors, essaie de savoir s'il est ici et fais-lui savoir que je veux le rencontrer après la représentation !

— Tu as l'intention d'aller au théâtre ?

Marcus était déjà à l'autre bout de la cour, il se retourna :

— Je te rejoindrai à la taverne !

Avant de se rendre dans le tablinum de l'édile, il se fit accompagner à la prison. Il circulait librement comme s'il avait appartenu à la curie ; la garde avait dû recevoir des ordres. Dès qu'il pénétra dans le cachot de Duvius, celui-ci se laissa tomber à terre et lui baisa les pieds. Marcus le releva.

— Merci, merci ! répétait le prisonnier dont les larmes ruisselaient sur la barbe qui avait envahi ses joues.

Il bégayait d'émotion :

— On m'a dit que je garderai la cellule aujourd'hui ! Je ne serai pas livré à l'ours !

— Je voulais m'assurer que les ordres avaient bien été donnés. Ton procès sera rouvert ! N'oublie pas que tu m'as promis de dire tout ce que tu savais !

— Je n'ai tué personne !

— Tu seras jugé pour ce que tu as fait. Pas pour ce qu'ont fait les autres !

— J'ai un avocat ! Merci, merci ! Je te paierai, je te le promets, je volerai pour te payer !

— Pour ta défense, il serait préférable que tu promettes de ne plus voler !

Marcus ressortit en haussant les épaules, ce pauvre Duvius ne lui semblait guère récupérable pour la société. Enfin, le pire avait été évité. Maxumus avait tenu parole.

Il entra dans le bureau de l'édile. Une collation était servie sur le guéridon. Maxumus avait même pensé à la cervoise !

— Assieds-toi et mange ! dit Maxumus. J'étais inquiet, tu as bien tardé !

— Je suis passé voir Duvius !

— Je sais. On m'a prévenu. Toutes les dispositions ont été prises. On commencera en retard, et on fera des entractes plus longs. Le metteur en scène est d'accord. Je crois même qu'il est soulagé de ne pas avoir à livrer un homme au supplice. Il a trouvé le moyen de replacer des ballets qui avaient déjà été dansés le premier et le second jour. Le public sera ravi et comme cela, il fera sombre pour le final. Les machinistes confectionnent le mannequin. Il n'a pas fallu moins d'un bœuf pour bourrer de viande les jambes, les bras et le torse. Pour la tête, les couturières vont coudre une boule de chiffons. On va la peindre et lui mettre une barbe et une perruque. Dans le noir, avec des braies et un sayon, le public y croira et l'ours va se régaler !

— Quelle horreur ! dit Marcus en repoussant son assiette et en se levant.

Il déroula les papyrus.

— Viens voir !

— Je connais ces documents. L'officier de la capitainerie m'a dit qu'un garde-côtes te les avait remis.

Maxumus regarda la liste et dit aussitôt :

— Ce document a été corrigé ! Quand je l'ai eu entre les mains, le nom d'Atleas y figurait !

— Explique-toi !

— Il y a neuf mois, quand Rufus est devenu duumvir, il m'a exposé quelques tours de passe-passe, pas très honnêtes, pour nous attribuer une partie des taxes perçues par le Trésor. Ne t'offusque pas, Aper, tous les duumvirs et tous les édiles le font ! Quand on a construit le tabularium, plusieurs entrepreneurs étaient en compétition pour obtenir le chantier. On a choisi le plus généreux. Cela correspond à la première somme que j'ai touchée et qui ne figure pas sur les comptes officiels. La seconde somme secrète portée à mon crédit vient du produit de la vente de l'area d'Attius après son décès. Le nom du nouveau souscripteur n'a jamais figuré au cadastre. Je croyais sincèrement qu'Attius avait été tué sur la route par des voleurs. Mais j'ai trouvé qu'il y avait une étrange coïncidence entre l'incendie du bâtiment et la mort de son propriétaire. J'ai posé des questions à Rufus, il m'a répondu que nous devions à l'avenir être très respectueux de la légalité. Il a ajouté que les populations d'Arelate, d'Avenio et de Glanum avaient rédigé des plaintes contre leurs magistrats. Il se sentait surveillé. Mes rapports avec le duumvir sont devenus distants et même hostiles. C'est alors que Pontius, puis Bassus, eux aussi concessionnaires d'areae, sont morts, chacun à leur tour, dans des conditions accidentelles. J'avais des doutes. J'ai fait venir le questeur de la Narbonnaise. Mais cela a été ma plus grande erreur. Je l'ai compris plus tard. Je savais que Rufus avait la manie de tout écrire : ses recettes, ses dépenses, ses rendez-vous, ses conversations. Il écrit tout.

« Une nuit, je suis revenu à la curie. J'ai fouillé son tablinum, et au milieu d'un fouillis invraisemblable de rouleaux et de tablettes, j'ai trouvé ses comptes secrets. Je les ai pris et je les ai comparés aux comptes officiels. J'étais affolé, mon nom figurait par deux fois sur cette liste. Mais je n'en croyais pas mes yeux, des sommes énormes étaient en regard de trois noms : Rufus, Atleas, Felix ! J'avais fait venir comme juge un des complices ! Je lui avais parlé de mes doutes à propos de la mort d'Attius, de Pontius et de Bassus. Pour couper court au scandale, ils ont arrêté et jugé Duvius. Atleas a expédié le procès en faisant porter à Duvius la responsabilité de tous les crimes et en inventant une machination épouvantable. On lui a promis de le faire évader s'il coopérait, mais qu'en revanche il serait livré à l'ours s'il révélait la vérité ! Donc, quand j'ai eu entre les mains les documents secrets, je les ai rangés avec les documents officiels dans la pièce aux archives.

« Je pensais que personne ne viendrait les y chercher. Rufus ne m'a fait aucune allusion à la disparition de sa liste. Mais il a dû en parler à Atleas. Le questeur avait accès aux archives. En recherchant les documents officiels, il est tombé sur le papyrus de Rufus. J'ai bien réfléchi depuis et je vois comment les choses se sont passées. Atleas a effacé son nom et il l'a remplacé par celui de Rufus. C'est alors qu'il a dû dire au duumvir qu'il savait où se trouvaient les documents compromettants. Que ces documents n'étaient pas compromettants pour lui, mais seulement pour Rufus et qu'il les lui remettrait moyennant finances !

— Un chantage ?

— Oui ! Mais Rufus n'avait pas l'intention de payer ! Il avait depuis le début une bande de tueurs à sa solde. Il se croyait invulnérable car il payait le silence du proconsul ! En faisant mes recherches, j'ai appris que les magistrats d'Arelate, d'Avenio et de Glanum achètent la protection du proconsul. Rufus, sous la pression d'un chantage de plus en plus inquiétant, a fait droguer et enlever Atleas. Ils l'ont torturé pour qu'il dise où se trouvait le fameux papyrus.

— C'est fou ! Pourquoi Rufus gardait-il une liste aussi compromettante ?

— C'était son assurance contre ses associés ! Sous la torture, Atleas a dû parler de la salle des archives. Niger, grâce à sa chlamyde de garde, a accompagné le questeur aux archives. Il lui suffisait d'acheter le silence de ses camarades en faction pendant la nuit. Une fois que Niger a eu le document, il a tué Atleas et a laissé son corps à l'endroit où on l'a retrouvé.

— Je pense que pour ce meurtre ils devaient être deux : Niger et celui qui, par la suite, a été chargé de m'assassiner !

— Tu comprends pourquoi je n'ai pas trouvé opportun de prévenir le proconsul de la mort d'Atleas !

— Je ne comprends pas pourquoi tu m'as caché tout ce que tu savais !

— C'est moi qui t'ai fait venir ! Le duumvir n'a fait que signer l'invitation. Il ne pouvait pas refuser. Alors il a dirigé tes soupçons contre moi. Si j'avais essayé de me justifier, je serais parti perdant. J'avais besoin que tu comprennes tout par toi-même.

— J'ai compris que tu avais trempé dans ce scandale !

— Je n'ai pas trempé dans le scandale, comme tu dis ! J'ai touché quelques gratifications comme tous les magistrats !

— C'est justement pour lutter contre cet état de choses que l'empereur a créé l'Office des Affaires Provinciales qui siège à Rome. Crois-tu que Felix soit au courant des crimes ?

— Je ne sais pas ! Ce dont je suis certain, c'est qu'Atleas a tout compris en instruisant le procès de Duvius. C'est à ce moment-là qu'il a imaginé son chantage. Rufus aurait peut-être payé, mais Tuccia est une femme cruelle et avide. Elle a toujours pris les initiatives dans le ménage.

— Te reste-t-il un seul garde dont tu sois sûr ?

— Mon cocher m'est fidèle comme mon ombre.

— Il faut mettre ces documents dans un coffre. Ton cocher doit partir ce matin même pour Rome ! Il ira remettre le coffre à l'Office des Affaires Provinciales.

— Seras-tu mon avocat ?

— Oui, si tu plaides coupable pour tes indélicatesses et que j'ai la preuve que tu ne m'as pas menti.

— Qu'est-ce que je risque ?

— Les délateurs sont toujours récompensés à Rome, on ne pourrait pas faire le ménage sans eux ! Mais je n'ai qu'une façon d'étayer ma plaidoirie. Tu dois restituer la totalité des sommes indûment acquises. De plus, je ne pourrai pas t'éviter une amende. Ce scandale va de beaucoup dépasser la cité d'Arausio. C'est une charrette de magistrats pourris que nous allons mettre hors d'état de nuire. Je veux me rendre dans toutes les cités dont tu m'as parlé. Faire signer des pétitions, obtenir des aveux ! C'est la cause des habitants spoliés que je veux défendre à ce procès. Fais venir ton cocher et laisse-moi rédiger mon rapport ! Tu as intérêt à y joindre tes aveux et tes intentions. Il est important qu'avant l'ouverture du procès l'Office puisse te considérer comme un témoin de l'accusation. Je voudrais aussi savoir quel est le rôle du second duumvir dans tout cela.

— C'est un riche propriétaire d'oliveraies que Rufus a toujours tenu à l'écart des affaires. Il n'a pas déboursé un as pour les représentations du *Laureolus*, et Rufus lui a fait comprendre que sa présence au théâtre n'était pas indispensable.

— Fais-lui savoir qu'aujourd'hui sa présence est indispensable ! Arausio a besoin d'un duumvir.

— Il va falloir nommer un produumvir pour achever la magistrature de Rufus ! Il faut convoquer le sénat municipal !

— Laisse Rome donner les ordres ! J'aurai besoin de ton aide pour constituer le dossier.

— J'y ai déjà travaillé. J'ai des copies de plaintes contre Atleas.

— Envoie toutes ces preuves à Rome. Trop de gens à la solde des criminels rôdent dans Arausio. Elles pourraient être volées. Personne ne doit savoir que nous avons pris connaissance de ces documents et qu'ils sont en route pour Rome.

— Nos vies sont en danger, Aper ! J'ai peur.

— Heureusement que tu as eu peur ! Sans cela, tu ne m'aurais jamais rien dit.

Aper et Maxumus rédigèrent chacun leur missive. Marcus ferma à clef le coffret de bronze dans lequel ils déposèrent tous les documents. L'avocat remit la clef au cocher de Maxumus en lui recommandant de ne la donner qu'au président de l'Office des Affaires Provinciales à Rome.

Par chance, le début de la représentation avait été retardé. Marcus avait juste le temps d'aller retrouver Nestor à la taverne du marché à l'huile. Dehors, la foule excitée par la perspective de la mise à mort, riait, poussait des hurlements qui se répondaient de groupe en groupe et résonnaient comme des roulements de tonnerre sous un soleil de feu.

La salle de la taverne grouillait de monde, et pourtant, au premier coup d'œil, Marcus ne vit que Luciola. Elle portait une tunique gris clair et une écharpe plus sombre drapée sur la tête et les épaules. Marcus était furieux après Nestor, cet estaminet n'était pas un endroit convenable pour une adolescente. Nestor avait l'air d'un gamin heureux. Il était assis à côté d'elle, leurs têtes se touchaient presque... Marcus bondit vers eux. Penchés sur une tablette de cire, Nestor apprenait à Luciola à dessiner les lettres de son nom. « De quoi se mêle-t-il ? pensa Marcus, c'est à moi de lui apprendre à écrire ! » Passant de la colère rentrée à la fureur exprimée, il dit d'un ton cassant :

— Nestor, je croyais avoir demandé que Luciola attende à la domus !

— Je suis allé la chercher pour l'emmener au théâtre !

— Oh oui ! permets-moi d'aller au théâtre, j'en ai tellement envie !

— Je n'ai rien à te permettre ! Tu fais ce que tu veux, répondit Marcus.

« De quoi se mêle-t-il ? pensa Nestor, Luciola n'est pas une femme pour lui ! », et il changea de sujet de conversation :

— Alors, Maxumus ?

Marcus n'avait nullement envie de valoriser Nestor aux yeux de Luciola en le félicitant pour la sagacité de son antipathie. Certes, il était obligé de reconnaître que Maxumus était un fieffé coquin, un homme malhonnête, un malin apte à se sortir des pires situations. Bref, que Maxumus était le prototype des opportunistes méprisables. Mais, pour agacer Nestor, il répondit :

— J'ai trouvé en lui un allié dans la cause que je veux défendre !

« Par Cernunnos ! Il est jaloux de moi ! » se dit Nestor.

Le jeune homme se leva et entraîna la jeune fille en disant :

— Il faut que nous partions si nous voulons avoir deux places dans les gradins !

Luciola se retourna et sourit à Marcus. Il comprit que cette gamine allait compliquer sa vie.

Marcus avait horreur de manger seul. Il se fit servir une omelette aux champignons. L'exposé sur la confection du mannequin l'avait dégoûté de la viande de bœuf pour un bon bout de temps ! Il but deux cervoises, peut-être trois, et se dirigea vers la loge officielle du théâtre.

Sur chaque marche, deux hommes, qui portaient la chlamyde rouge de la Narbonnaise, montaient la garde.

— Présentez armes ! cria le décurion quand Marcus arriva au bas de l'escalier.

Il gravit les degrés à pas lents. L'ascension lui parut longue. Sa vie ne tenait qu'à un fil si Felix savait qu'il avait pris connaissance de la liste rédigée par Rufus. Il retint son souffle jusqu'à la sortie de la voûte qui coiffait l'escalier. Dans la tribune, les cinq fauteuils du premier rang étaient vides. Debout, quelques sénateurs parlaient avec l'édile. Maxumus présenta Marcus Aper au second duumvir.

— Maxumus nous a dit que tu l'avais aidé à mettre Rufus hors d'état de nuire ! dit l'honorable vieillard. Sois remercié pour ce que tu as déjà entrepris et pour tout ce que tu entreprendras pour faire triompher la vertu dans notre cité.

— Rufus et ses complices sont sous bonne garde à Massalia. Le dossier est parti pour l'Office des Affaires Provinciales à Rome ! répondit Marcus, et il ajouta : — Il se pourrait que le proconsul soit cité à comparaître comme témoin, aussi je crois préférable qu'il ne soit pas question de cette arrestation devant lui. Il ne faut pas qu'il prenne la fuite avant d'avoir reçu la convocation de Rome.

— Tu penses bien que les autorités de Massalia l'ont déjà averti ! soupira le vieillard.

— Je ne le crois pas, rétorqua Marcus, la cité libre de Massalia ne relève pas de sa juridiction.

— J'ai vécu un an de trop ! gémit le second duumvir en allant s'asseoir.

Une sonnerie de trompettes annonça l'arrivée du proconsul. Le second duumvir se releva de son siège. Felix salua les occupants de la loge qui lui rendirent son salut. Il avait le sourire figé des grands de ce monde en voyage officiel. Il alla s'asseoir dans le fauteuil du centre ; le second duumvir et l'édile prirent place de chaque côté de lui. Deux autres sénateurs occupèrent les deux derniers sièges du premier rang. Marcus était juste derrière le proconsul. Celui-ci se retourna et murmura à Marcus :

— Mon messager n'est pas revenu de Narbo Martius ! As-tu des nouvelles de Rufus ?

— Je ne suis pas allé à Narbo Martius ! rétorqua l'avocat.

Felix parlait à Marcus sans le regarder :

— Je crains que Rufus n'y soit pas allé, lui non plus ! Je le fais rechercher. Il a dérobé des secrets d'État ! Tous ceux qui me cacheraient des informations mettraient leur vie en péril !

Deux tonitruants coups de cymbale coupèrent net le brouhaha de la cavea. Les vendeurs de friandises s'éclipsèrent comme une volée de moineaux. Le rideau de scène s'affaissa et, sous les applaudissements du public, parut le chef de troupe. Felix dédia à Apollon cette huitième journée des jeux et jeta la bourse. Pylade ramassa le sac d'or et attaqua sa tirade :

— L'heure du jugement est arrivée ! Le jugement des hommes et le jugement des dieux !... Mais je vous laisse avec Charon qui, dans sa barque, mène la dernière victime de Laureolus jusqu'au rivage de l'île des morts !

Le plancher de la scène s'escamota tandis qu'une piscine surgit des entrailles de l'estrade. Une barque, tirée par un câble, glissa sur l'eau. Charon, masqué et vêtu de blanc, demanda à son passager de lui remettre l'obole. Il mordit dans la pièce qui lui était tendue et la jeta dans l'eau en vociférant :

— Elle est fausse !

Un énorme rire fusa des gradins. Alors, la colère de Charon s'adressa aux spectateurs :

— Ne riez pas, troupeau de singes ! Croyez-vous pouvoir impunément tromper Charon ? Croyez-vous Charon assez stupide pour ignorer que vous mettez des pièces fausses dans les mains de vos morts ? Et savez-vous ce qu'il arrive à vos morts quand ils ne peuvent pas payer le passeur ?

Charon envoya le passager rejoindre la pièce fausse.

— Jamais il n'abordera dans l'île des âmes bienheureuses !

Le naufragé se débattait dans la piscine, tandis qu'un câble ramenait la barque en coulisses. Des nageurs, portant des masques de monstres marins, effectuaient mille cabrioles autour de l'homme qui faisait mine de se noyer. Des sirènes aux seins nus, des dauphins, des tridents éclairés par des poissons porteurs de torches virevoltaient au son des flûtes et des harpes.

Le ballet nautique n'était qu'un prologue. La vue de la pauvre victime ne pouvant atteindre l'île des morts avait aiguisé la haine que le public vouait à l'assassin. Le plat de résistance de cette huitième journée était le jugement de Laureolus. La piscine avait disparu pendant le premier entracte. Le spectacle se passait maintenant sur trois niveaux. Laureolus occupait le centre de la scène. Pour jouer son dernier morceau de bravoure, le superbe Nica, torse nu, traînait à ses pieds de lourdes chaînes. Autour de lui siégeaient les magistrats. Dans les niches du mur de scène, comme suspendus dans les airs, éclairés par des torches, trônaient les dieux. Dans ce panthéon voisinaient les dieux de l'Olympe et les divinités celtiques : Jupiter brandissant le foudre, Sucellus avec son chien et son marteau, Mercure aux pieds ailés, Teutates et son bouclier gaulois, Diane et son arc, Cernunnos le dieu à la ramure de cerf, Apollon tenant la lyre et, tout en haut, dans son armure de pierre, le divin Auguste. En bas, rampant sur l'orchestra, vêtus de capes noires et portant des masques de têtes de mort, les victimes de Laureolus qui réclamaient vengeance.

Laureolus, attaqué à tour de rôle par les dieux, les magistrats et ses victimes, gardait le silence. Enfin, la parole lui fut donnée. Il ne chercha pas à se justifier. Élégiaque et menaçant, il s'en prit à tous les vices de la société qui poussaient les hommes au crime : l'iniquité des lois, la cupidité des riches, la corruption des maîtres. Chaque invective clamée par ce révolté déchaînait les acclamations des derniers rangs de la cavea. Mais quand il lança sa litanie d'insultes à l'égard du peuple, de ce peuple grossier, stupide, paresseux, voleur, qui méritait pis que ce qu'il endurait, alors, ayant en fin de compte traîné dans la boue les notables des premiers rangs et la plèbe qui se tenait debout tout en haut, d'une seule voix, toute la cavea hurla :

— A mort !

Ce ne fut certes pas le proconsul qui eut envie d'user de son droit de grâce !

Le président du tribunal des hommes rappela la grandeur de Rome, le caractère sacré de ses lois, les vertus de l'Empereur. Il requit la mort pour cet odieux criminel. Et comme les méchants doivent être punis pour que les bons vivent en paix, Laureolus fut condamné à être livré à l'ours. Le tribunal des dieux applaudit la sagesse des juges et les morts disparurent dans le repos sans limites.

— A Rome, la justice triomphe toujours ! dit Marcus à son voisin en parlant assez fort pour que le proconsul l'entende.

Un ballet de villageois et de villageoises sautait et virevoltait, l'orchestre égrenait des notes joyeuses pendant qu'on installait le décor du supplice et que des marchands ambulants proposaient boissons et friandises. Un silence pesant régnait dans la loge.

Felix appela un de ses gardes et lui parla à l'oreille.

— J'ai donné ordre de tout préparer pour mon voyage ! dit-il à l'édile. Je partirai pour ma capitale dès la fin du spectacle ! Cet entracte n'en finit pas ! Qu'est-ce qu'ils attendent ? Il va faire nuit !

Dans la cavea, pour passer le temps, les hommes buvaient du vin et de la cervoise. Le long après-midi dans la chaleur emprisonnée sous le velum, les boissons alcoolisées et la perspective de la mise à mort les avaient surexcités. Le décor était enfin prêt. Des filets avaient été disposés autour de la scène pour protéger les spectateurs. On avait mis en place les *cochleae*[1] où pourraient se faufiler les dresseurs en cas de danger. Des machinistes avaient tiré des estrades roulantes sur lesquelles étaient placés des arbres. Cette dizaine d'arbustes découpés et peints devaient donner l'illusion d'une forêt. Trois bestiaires, torse nu, les reins gainés de cuir, firent leur entrée en fai-

1. *Cochleae* : tourniquets à cloisons.

sant claquer leurs fouets. L'un d'eux portait un tison enflammé, les deux autres brandissaient des épieux. Ils poussaient devant eux quatre daims apeurés. La trappe au centre de la scène s'ouvrit et, propulsée par le monte-charge, une cage de fer apparut. L'énorme monstre d'Écosse poussa un horrible grognement.

Le public lui fit une ovation. Les bestiaires ouvrirent la cage, l'ours s'échappa et resta quelques secondes hébété. La cage redescendit et la trappe se referma. Les daims s'étaient couchés les uns contre les autres comme pour se protéger. Les fouets claquèrent. Le gibier affolé se mit à courir dans toutes les directions. L'ours chargea. Il courait moins vite que ses proies, mais il savait attendre, guetter, bondir, il avait sa force pour lui. Le public raffolait des *venationes*[1]. Le premier daim tomba sous les griffes du monstre. Les bestiaires menaient le jeu, ils empêchèrent l'ours de dévorer sa proie. A coups de fouet et d'épieu, ils le forcèrent à se lancer à l'attaque des autres gibiers. Bientôt ce fut un carnage. Pendant que l'animal victorieux plaquait au sol sa dernière victime, deux coups de cymbale retentirent. Suspendu à deux câbles, le condamné cloué à une croix descendit de la plus haute galerie du mur de scène. Le poteau du gibet vint se ficher dans un trou du plancher. De toutes parts fusèrent les insultes et les injures adressées à Laureolus tandis qu'on acclamait et qu'on encourageait son bourreau. Les daims n'avaient servi qu'à exciter l'appétit de l'ours, l'odeur de la viande de bœuf décupla sa rage. Il bondit au pied de la croix, se dressa debout sur ses pattes arrière et, de tout son poids, laissa glisser les

1. *Venationes* : chasses d'amphithéâtre.

griffes de ses membres antérieurs de la poitrine aux pieds de l'effigie que le public avait prise pour Laureolus. Lambeau après lambeau, il déchira, laboura, déchiqueta, dévora sa proie. La foule hystérique applaudissait au carnage. Des morceaux de viande gisaient sur le plancher entre les flaques de sang. La boule de chiffon recouverte d'un masque, d'une perruque et d'une barbe restait seule fixée en haut de la croix. Il était effrayant de voir ce visage insensible à la peur, sur lequel ne se discernait aucun rictus de douleur.

Felix ne pouvait détacher son regard de ces deux yeux grands ouverts qui semblaient le fixer. Il se tourna vers l'édile :

— Ce n'est pas Duvius ? C'est un mannequin !

— Aurais-tu souhaité voir un homme mourir de cette manière ? lui glissa Marcus à l'oreille.

— Duvius est un odieux criminel !

— Duvius n'était qu'un mannequin ! Mais tu vois, il reste la tête.

— Tu sembles en savoir plus que moi sur cette affaire, lui rétorqua Felix en le foudroyant du regard.

— Mais ce que tu ne peux ignorer pèsera lourd ! Un jour tu devras rendre des comptes, Felix !

— Que ce jour vienne ! Je ne me déroberai pas. Je me battrai ! Mes mains ne sont pas souillées de sang ! Vous savez où me trouver !

Il se leva, fit signe à ses gardes et quitta la loge en disant :

— A Narbo Martius !

Sur scène, l'horreur avait atteint son comble. L'ours repu, couché, s'acharnait sur un dernier morceau de viande. La cage réapparut, les bestiaires y poussèrent l'animal. Les trompettes sonnèrent le triomphe du vainqueur ! La foule, ivre, hurlait. Des esclaves firent le ménage. L'orchestre joua une marche joyeuse. Des danseurs en costume de chasse, des danseuses nues avec des oreilles de lièvres ou des ailes en plumes arrivèrent en folle farandole. Ils se poursuivaient, virevoltaient, gambadaient, tournoyaient à la lueur des torches qui scintillaient dans les niches du mur de scène.

Horribles et grotesques, les représentations du *Laureolus* s'étaient soldées par un triomphe, mais Rufus n'était pas là pour en jouir.

Le cisium de l'édile l'attendait en bas des marches. Maxumus guettait l'avocat, il alla à sa rencontre dès qu'il le vit sortir de la voûte.

— Il nous reste beaucoup de travail à faire, dit Marcus. Tu dois obtenir les témoignages de Labienus, le nouveau concessionnaire de l'area de Bassus, ainsi que celui de la veuve de Bassus. Je demanderai la résidence surveillée à Rome pour Rufus et Tuccia. Niger et Duvius seront transférés aux prisons Mamertines[1]. Je pars pour Rome.

— Il te faudra obtenir les aveux de Niger !

— Il faudra surtout que l'Office soit en possession de toutes les plaintes des citoyens contre leurs magistrats ! L'instruction du procès sera longue... Fais-moi parvenir les courriers chez l'avocat Maternus à Rome.

— Comment te remercier ?

— Après le procès, tu auras tout le temps d'y penser en Mésie ou en Judée ! Il sera souhaitable que tu te fasses oublier.

1. Prisons souterraines situées à côté de la Curie, à l'est du forum romain.

Le cocher de Maxumus attendait la fin de la conversation de son maître. Quand il vit les deux hommes se saluer, il s'approcha :

— Marcus Aper, je dois te prier de monter dans la voiture ! Ton affranchi m'a demandé de te conduire sur la voie d'Agrippa à la première maison rouge après l'arc de triomphe.

— Qu'est-ce que c'est que cette histoire ? rugit Marcus. Quand l'as-tu vu ?

— Au premier entracte, c'est moi qui l'ai conduit là-bas.

— J'aimerais comprendre, dit Maxumus qui semblait tomber des nues.

— Montez ! Nestor vous racontera !

— Et la fille ? demanda Marcus.

— Elle est avec lui ! répondit le cocher en fouettant son cheval.

En arrivant au gîte d'étape, Marcus crut être la proie d'une hallucination : sa rheda était dans la cour...

Le cocher attacha son cheval à un anneau scellé dans le mur et dit à l'édile et à l'avocat :

— Venez ! Je sais où ils sont.

Il les conduisit au premier étage et frappa à une porte :

— Nestor ! tu peux ouvrir, je suis avec Marcus Aper !

Le cocher laissa Marcus et Maxumus entrer dans la chambre et redescendit l'escalier. Luciola se précipita dans les bras de Marcus :

— J'ai eu si peur !

Ses yeux étaient rouges, sa tunique déchirée.

— Que s'est-il passé ? demanda Marcus, sans repousser Luciola qui pleurait sur son épaule.

Nestor prit sa respiration et se mit à parler à toute vitesse :

— Nous avions trouvé deux places assises en haut des gradins ; alors, à l'entracte, nous avons décidé de ne pas nous lever pour qu'on ne prenne pas nos places. Le temps que je me retourne pour acheter un beignet, Luciola n'était plus là. Je l'ai vue qui courait. Un homme la poursuivait. J'ai bondi pour la rattraper.

— Cet homme, Luciola, tu le connaissais ? demanda Marcus.

— C'était le cocher de Rufus ! Il nous avait conduits à Massalia et il était reparti avec la voiture.

— C'est forcément le troisième homme qu'avait vu l'employé de la voirie à Aquae Sextiae, interrompit Nestor, nous n'en n'avons arrêté que deux !

— J'ai eu si peur ! poursuivit Luciola. J'ai senti une main sur mon épaule. Je me suis retournée et j'ai vu Lupus ! Il me fait horreur ! Il a déjà voulu me forcer à coucher avec lui ! Alors, je n'ai pas pris le temps de réfléchir, je me suis sauvée. Je me suis faufilée dans la foule, j'ai couru en descendant, toujours en descendant... Il m'a rattrapée, je me suis débattue, je l'ai mordu, j'ai réussi à lui échapper mais il m'a rejointe à nouveau. Il m'a battue, et puis je ne sais plus, Nestor est arrivé ! Lupus a pris la fuite, j'ai peur !

— Nous ne pouvions pas rester au théâtre, continua Nestor. J'ai eu l'idée de demander au cocher de l'édile de nous aider. Il nous a tout de suite conduits ici et j'ai enfermé Luciola dans cette chambre. Le cocher m'a déposé à la domus, j'ai chargé les bagages et je suis revenu avec la rheda. Tu sais la suite...

— Et ce Lupus ? demanda l'édile.

— Il court toujours ! dit Nestor, il va tenter de retrouver Luciola.

Marcus tirait sur les poils de sa moustache :

— Il devait croire qu'elle avait embarqué avec Rufus et Tuccia. Il ne peut pas être au courant de l'arrestation. La voir à Arausio a dû lui produire un choc. Il a peur qu'elle parle, qu'elle le fasse accuser de complicité pour la fuite du duumvir !

— Il appartient aux propriétaires de la villa d'Aquae Sextiae, dit Luciola. C'est un fou qui viole les filles. Rien de plus !

— Je n'en suis pas si sûr, j'avertirai l'édile d'Aquae Sextiae ! conclut Maxumus.

Marcus allongea Luciola sur le lit :

— Essaie de dormir ! Nous allons passer la nuit ici et nous partirons demain pour Rome !

Luciola s'agrippait à la main de Marcus :

— Tu ne me laisseras pas ? Promets que tu m'emmèneras avec toi !

— Promis ! dit Nestor.

Marcus raccompagna l'édile. Il se retourna sur le seuil :

— Nestor, je t'attends en bas pour souper !

L'affranchi déposa un baiser sur le front de la jeune fille :

— Je te monterai un bol de bouillon !

— Mais qu'est-ce que je vais faire de cette gamine ! soupira Marcus Aper en prenant congé de Maxumus.

DES SEMAINES PLUS TARD À ROME

Quel procès, Grand Jupiter, quel procès ! Rome n'avait plus qu'un sujet de conversation : le scandale ! Sur le forum, entre les colonnes des rostres, les orateurs haranguaient la foule en crachant leur venin. Ils regrettaient les siècles glorieux de la République, les vertus des Anciens, dénonçaient tous les vices du temps présent.

Aux thermes, à la promenade, matrones et citoyens commentaient avec passion la dernière séance du tribunal. Marcus Aper était le héros à la mode. Les femmes se pâmaient en pensant à lui dans les bras de leurs amants. Les jeunes gens voulaient tous devenir avocats. Les hommes, pour séduire, se laissaient pousser la moustache.

Le procès traînait en longueur. Tous les jours arrivaient à Rome de nouveaux témoins à charge. Il n'était pas un citoyen de la Narbonnaise qui n'eût à se plaindre d'un magistrat. Marcus était le défenseur des contribuables lésés, et tous s'estimaient lésés ! Certains allaient jusqu'à prétendre que, puisque les responsables du fisc étaient corrompus, le seul moyen de les punir était de supprimer les taxes !

Marcus ne pouvait suffire à éplucher les dossiers.

Ses amis les avocats Maternus et Secundus l'y aidèrent. Devant l'ampleur du scandale, Titus, que son père Vespasien avait associé au trône, présida en personne les séances du tribunal.

Quand on eut bien pataugé dans la boue, quand les esprits furent excités à souhait, on en vint aux choses sérieuses, aux accusations de meurtre ! Niger nia tout en bloc. Il fit porter la responsabilité des crimes à son acolyte Canus :

— C'est Canus ! dit-il, qui a assassiné Attius, Pontius, Bassus et les gardes du corps du questeur. C'est lui qui a tué le questeur dans la salle des archives !

Marcus ne le contredit pas, mais l'interrogea sur l'embuscade du cimetière.

— Oui ! hurla Niger, oui, c'est moi qui ai tué Canus. C'est moi qui ai abattu ce chien enragé ! Vous devriez me féliciter !

— Il l'a abattu parce qu'il craignait qu'il donne le nom de son complice ! clama l'avocat. Et Balbus, le cavalier du proconsul qui voulait te prendre les documents que tu avais volés, c'est bien toi qui l'as tué sur la route d'Apta Julia ? Ce ne pouvait être Canus, il était déjà mort !

Niger se sentait perdu, il se mit à hurler en pointant son doigt en direction de Rufus :

— C'est lui le coupable, c'est lui qui a ordonné tous les crimes !

On ne put tirer un mot de la bouche du duumvir. Pas une fois il ne se départit de son silence. Son défenseur, bien connu pour accepter les causes perdues d'avance, ne put que rejeter la responsabilité sur Atleas.

— C'était Atleas l'homme sans scrupules ! Lui seul est responsable de cette tragédie !

Tuccia s'était dressée telle Alecto[1] vengeresse et fière, elle fixa droit dans les yeux le fils de l'empereur :

— C'est moi qui ai décidé de la mort de ce monstre ! C'est moi qui vous ai débarrassés d'Atleas !

Après tant d'horreurs étalées au grand jour, la corruption de Felix aurait presque sombré dans l'oubli si Titus n'avait été soucieux de faire un exemple. Il proscrivit de Rome et de sa province l'ex-proconsul de la Narbonnaise. Le magistrat déchu fut envoyé à Césarée.

Avec l'assentiment de l'empereur, les escroqueries de l'édile d'Arausio ne furent pas révélées au public. En remerciement de sa coopération, Maxumus, le repenti, fut nommé tribun militaire dans l'armée de Cerialis, cantonnée à Xanten sur les bords du Rhin.

Duvius, qui avait totalement perdu la raison, se mit à rire comme un benêt quand on lut la sentence qui condamnait l'incendiaire à ramer sur une galère jusqu'à la fin de ses jours.

Niger fut crucifié, Tuccia et Rufus décapités. On acclama Marcus Aper pour avoir su faire triompher le droit des honnêtes gens et Titus, à partir de ce jour, fut surnommé : « Délices du genre humain »... Deux ans plus tard, il succédait à Vespasien et ne signa aucune condamnation à mort sous son règne.

Le procès avait duré deux mois. Marcus avait loué une villa sur le Quirinal. Une villa qui lui plaisait tellement qu'il songeait à l'acheter... Ni Marcus, ni Nestor, trop accaparés par les séances du tribunal, les

1. Alecto : une des Érinyes, divinités infernales qui châtient les criminels.

auditions des témoins, l'étude des dossiers, n'avaient eu le temps de se préoccuper de l'intendance. Luciola, sans attirer l'attention, veillait à tout. Luciola avait su, discrètement, se rendre indispensable...

ANNEXES

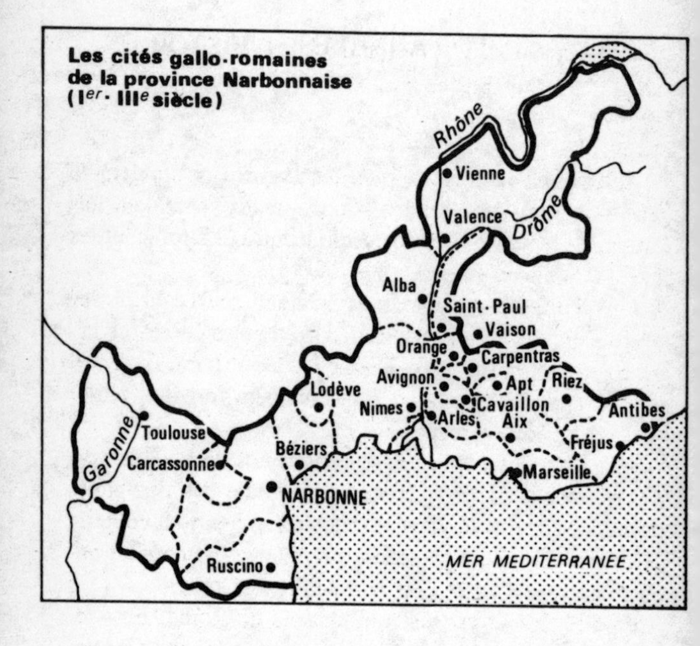
Les cités gallo-romaines
de la province Narbonnaise
(Ier - IIIe siècle)
Rhône
Vienne
Valence
Drôme
Alba
Saint-Paul
Vaison
Orange
Carpentras
Avignon
Lodève
Apt
Riez
Nimes
Cavaillon
Arles
Aix
Antibes
Garonne
Toulouse
Béziers
Fréjus
Carcassonne
Marseille
NARBONNE
Ruscino
MER MEDITERRANEE

DATES IMPORTANTES DE L'HISTOIRE DE LA PROVENCE ANTIQUE

A l'époque protohistorique, les Ligures occupaient la Provence actuelle entre les Alpes qui les séparaient des Latins, les Celtes qui séjournaient jusqu'à la Drôme, et les Ibères au-delà du Rhône.

Les Volques Arecomiques avaient seuls parmi les peuples celtes atteint la Méditerranée entre Ibères et Ligures sur la rive droite du Rhône (Arles et Nîmes). Ainsi, pour la période antérieure à la conquête romaine parle-t-on de civilisation celto-ligure.

Marseille avait été créée par les Grecs de Phocée vers 600 avant J.-C. Dès 562, Marseille fonde des comptoirs en Italie et en Corse. Cette expansion se heurte à celle de Carthage. En 537, à l'issue du premier grand combat naval de l'histoire, Marseille perd Atalia en Corse.

En 509, les Étrusques sont chassés de Rome. En 474, Marseille s'allie aux Romains pour s'attaquer aux Carthaginois. A Marseille, le pouvoir législatif est exercé par une assemblée de 600 membres, les Timouques. Le conseil est composé de 15 Timouques ou conseillers.

En 219, Rome déclare la guerre à Carthage et, en 217, la flotte marseillaise alliée de Rome détruit la flotte carthaginoise d'Himilcon.

En 125, les Marseillais réclament le secours des Romains pour réprimer des révoltes dans leurs territoires ligures. Le chef ligure Teutomalius se réfugie chez les Allobroges. Le chef des Allobroges s'allie alors avec Bituit, roi des Arvernes, pour combattre les Romains. Les généraux romains Domitius Ahenobarbus et Maximus remportent la victoire en 122 entre Orange et Bollène. Bituit est envoyé en captivité en Albe.

C'est donc en 122, après la destruction de la capitale celto-ligure d'Entremont, qu'est créé le premier castellum romain à Aix. Dès sa victoire sur Bituit, Domitius Ahenobarbus parcourt la Provence et établit la tête de pont rêvée par Rome entre l'Espagne et l'Italie. Il crée la voie Domitienne. La Provence va être romanisée soixante-dix ans avant le reste de la Gaule. Elle prend le nom de Gaule transalpine ou Provincia.

En 102, à Aix et en 101, à Verceil, Marius sauve la Provincia des invasions barbares des Teutons et des Cimbres.

Mais la Provincia vit une longue occupation lourde d'impositions et de dépossessions. Le commandement militaire est exercé par un proconsul, ses pouvoirs ne sont limités que par les droits spéciaux des cités alliées comme Marseille ou des colonies romaines comme Narbonne. Il n'est pas de propriété de plein droit sauf celles des citoyens romains. La civilisation apportée par Rome a le visage du colonialisme. En plus des soldats cantonnés dans les nouvelles villes de garnison, arrivent des citoyens romains, commerçants et fonctionnaires. Il faudra la conquête de la Gaule chevelue par César pour que les Celto-Ligures connaissent enfin la paix et la justice.

En 71 avant J.-C. les Allobroges envoient une députation à Rome pour protester contre les abus scandaleux du proconsul Fronteius. Mais son avocat Cicéron fait l'éloge de Fronteius et traite les Allobroges de menteurs *(Pro Fronteius).* Le Sénat du temps de la République répugne à châtier l'un de ses membres. Rome veut à cette époque écarter toute menace de révolte dans ses colonies et affirmer l'autorité de ses administrateurs.

En 58, à la fin de son consulat, Jules César est nommé proconsul de la Gaule transalpine. Il puisera dans sa province des soldats pour partir à la conquête de la Gaule chevelue.

En 49, Marseille prend le parti de Pompée et du Sénat contre César. César triomphe. Il prend à Marseille ses armes, ses navires, ses remparts et son trésor.

En 46, César, devenu maître de Rome, confie à Treberius Claudius Nero le soin de former des colonies dispersées sur tout le domaine de la Provincia. Il offre des terres à ses anciens compagnons d'armes et à des citoyens romains désireux de mettre en exploitation des terres abandonnées par les indigènes. Ainsi naissent les colonies « de droit romain », les premières sont Arles et Orange. Pour punir Marseille, César fonde sa propre ville, *Forum Julii* (Fréjus). Ces colonies sont administrées par des duumvirs secondés par des édiles. Ces magistrats annuels sont élus par un sénat local.

En 44, Jules César est assassiné par ceux qui l'avaient aidé dans le siège de Marseille : Trebonius et Decimus Brutus.

Ce n'est qu'après la bataille d'Actium en 31, et la prise de pouvoir par Octave Auguste en 27, que la Provincia change de visage et prend le nom de Narbonnaise. En cinq ans, de 27 à 22, Auguste fait d'une colonie impériale une colonie sénatoriale. Il transforme le comptoir de

Fréjus en port militaire. La vieille forteresse d'Aix devient la première station thermale de Gaule et colonie « de droit latin ». Les autres colonies de « droit latin » qui datent du début de l'organisation de la Narbonnaise par Auguste sont : Avignon, Cavaillon, Apt, Carpentras, Vaison, Dié, Digne, Riez, Luc en Diois.

Sous l'empire, l'attitude de Rome vis-à-vis des magistrats va changer. Le proconsul de la Narbonnaise n'est que le reflet de l'empereur, et il est d'une sage politique pour le maître de ne pas laisser la bride sur le cou à un lieutenant qui pourrait trop s'émanciper. Loin de décourager les plaintes des administrés, l'empereur les encourage et crée l'Office des Affaires Provinciales.

LES CADASTRES D'ORANGE

Le cadastre dans l'Antiquité (*forma*) correspond au découpage d'un terrain conquis par les Romains pour l'aliéner par vente ou à titre gratuit. On a retrouvé à Orange des documents gravés sur marbre et destinés à être affichés dans un petit édifice public : le *tabularium publicum*. Les plaques de marbre étaient scellées sur trois des murs intérieurs de l'édifice. Le plus grand de ces cadastres mesurait 7 m 56 sur 5 m 90. Onze fragments ont été découverts à l'occasion de travaux d'urbanisme dans une zone comprise entre la rue de la République, la rue Second-Weber, la rue Formigé et le théâtre. Les fouilles ont été reprises en 1949 par le chanoine Sautel et en 1988. On s'est aperçu que les inscriptions retrouvées correspondaient à trois cadastres et à d'autres documents épigraphiques qui ne sont pas des fragments cadastraux mais des indications concernant certaines taxes.

Parmi ces documents, on a retrouvé les textes des *merides*. Le duumvir procédait à l'affermage des taxes dues à la commune. Il enregistrait ces opérations sur des *tabulae muncipi*. Les *merides* étaient les taxes municipales perçues à la suite de la location d'un terrain communal. Les tarifs indiqués sur ces fragments sont élevés et doivent correspondre au droit d'installer des échoppes sous un portique. On entendait par *areae* des espaces publics dans la cité occupés illicitement par des particuliers. On imposait à ceux-ci une taxe plutôt que de les déloger. Les surfaces usurpées vont de 6 à 633 m^2. Les taxes allaient de 2 deniers 8 as à 170 deniers. Ces espaces se trouvaient près de l'enceinte. Une inscription indique que Valerius Bassus a usurpé 137 pieds (12 m^2) et qu'il devra payer 34 deniers et 7 as. La tolérance de la taxe libératoire n'était accordée qu'aux terrains construits. La répartition des lots offerts aux colons (anciens légionnaires de l'armée romaine) était également indiquée sur les plaques de marbre gravé. Ces lots étaient en général des carrés de 710 m de côté appelés centuries. La surface de terrain attribuée normalement à un colon correspondait au tiers d'une centurie. Après l'assignation des terres aux colons, il reste des terres appartenant à la colonie. La commune afferme ces *reliqua coloniae*, et le tarif est indiqué avec le nom du locataire.

On a également retrouvé une inscription qui se lit sur trois fragments d'une plaque de marbre de 4 m 43. Elle était fixée sur un des murs par des tenons. La lecture de ce texte latin nous apprend que l'empereur Vespasien charge, en 77 de notre ère, le proconsul de la province de Narbonnaise de prendre les mesures nécessaires — par l'affichage d'un cadastre avec le montant des redevances afférentes à la location ou à la propriété des terres — pour restituer au domaine public et à leurs propriétaires les terres que l'empereur Auguste avait attribuées aux vétérans de la deuxième légion gallique. Ce texte nous apprend également que les colons d'Arausio sont issus de la légion II *Gallica* qui sera remplacée après sa dissolution par la II *Augusta*, ayant comme emblème le capricorne.

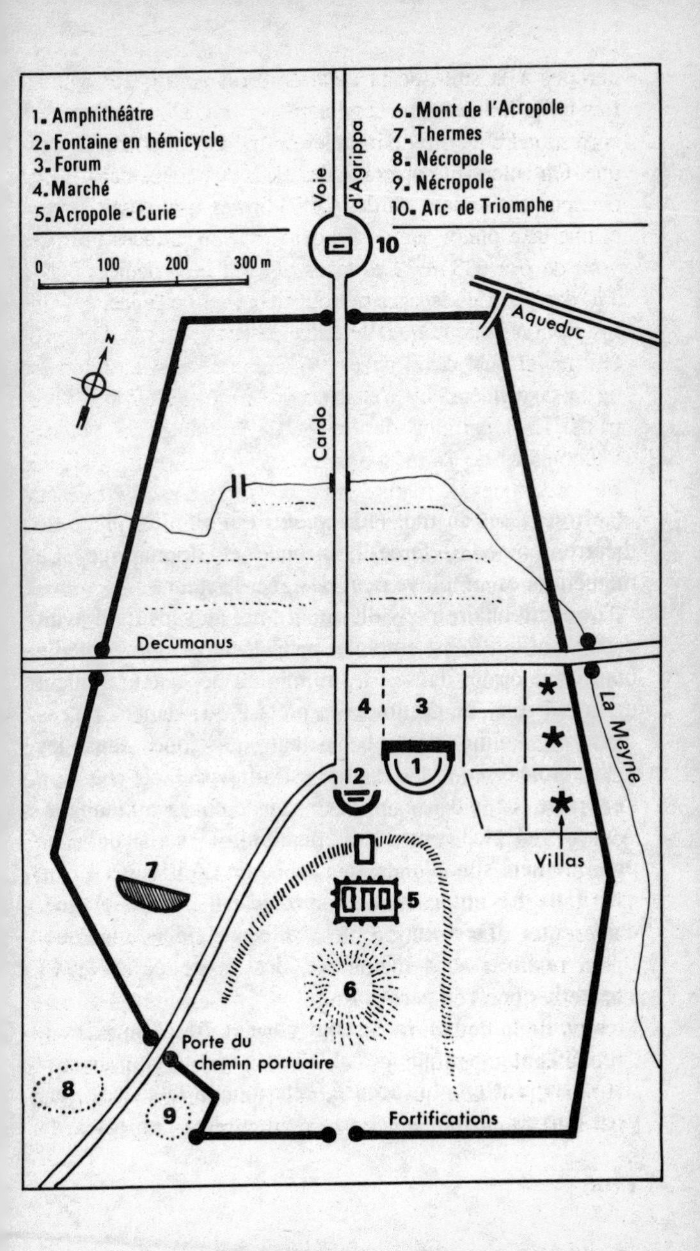
1. Amphithéâtre
2. Fontaine en hémicycle
3. Forum
4. Marché
5. Acropole - Curie
6. Mont de l'Acropole
7. Thermes
8. Nécropole
9. Nécropole
10. Arc de Triomphe
0
100
200
300 m
N
Voie d'Agrippa
10
Aqueduc
Cardo
Decumanus
4
3
1
2
*
La Meyne
Villas
7
5
6
Porte du chemin portuaire
8
9
Fortifications

LE MIME

Mime vient du mot latin *mimus* qui signifie pièce de théâtre, comédie, farce bouffonne et dramatique. Le même mot est employé pour désigner l'acteur.

Le dictionnaire nous dit que mime, au sens qu'il avait dans l'Antiquité, est employé pour désigner une comédie bouffonne où les danses, les mimiques des acteurs jouent un grand rôle. Le dictionnaire précise que dans son sens moderne, mime désigne l'acteur qui joue dans les pantomimes. La pantomime est un spectacle où l'on s'exprime par la danse, le geste, sans recourir au langage. Au XXe siècle, mime et pantomime sont devenus pratiquement synonymes, mais pendant l'Antiquité il n'en était rien. Le mime était un spectacle théâtral dialogué, dans lequel intervenaient des ballets et de la musique. Il se rapprocherait davantage des opérettes à grand spectacle que de la pantomime.

Le mime antique, farce bouffonne et dramatique, était calqué d'aussi près que possible sur la réalité, dont le réalisme, de plus en plus accusé, déterminera le succès. Les personnages ne portaient pas de masque. Les rôles de femmes étaient tenus par des actrices. Les sujets étaient traités avec un relief caricatural allant jusqu'à l'impudence et à l'atrocité.

Le mime le plus joué de 30 à 200 après J.-C. fut le *Laureolus* de Catullus monté pour la première fois sous Caligula.

Le *Laureolus* a été représenté lors des fêtes d'inauguration du Colisée de Rome sous Titus. Un prisonnier de droit commun avait été substitué à l'acteur pour la scène du supplice qui a eu réellement lieu en public. Juvénal y glisse dans ses *Satires* (VIII) une allusion sans malveillance, et Martial écrit dans le premier livre des *Épigrammes* (*Liber spectaculorum*), consacré aux fêtes d'inauguration du Colisée et publié en 80 :

« De même qu'en Scythie, enchaîné à son rocher, Prométhée nourrit jadis l'insatiable oiseau de sa poitrine trop puissante, ainsi Laureolus, attaché à une croix bien réelle, a offert sa chair nue en pâture à un ours de Calédonie. Ils vivaient, ces membres déchirés dont les fibres ruisselaient de sang, et ce corps tout entier n'avait nulle part forme de corps. Bref, il a subi le supplice qu'il méritait. Par sa scélératesse il avait surpassé les atrocités relatées par l'antique légende, cet homme pour lequel ce qui n'avait encore été qu'une fiction est devenu un châtiment réel. »

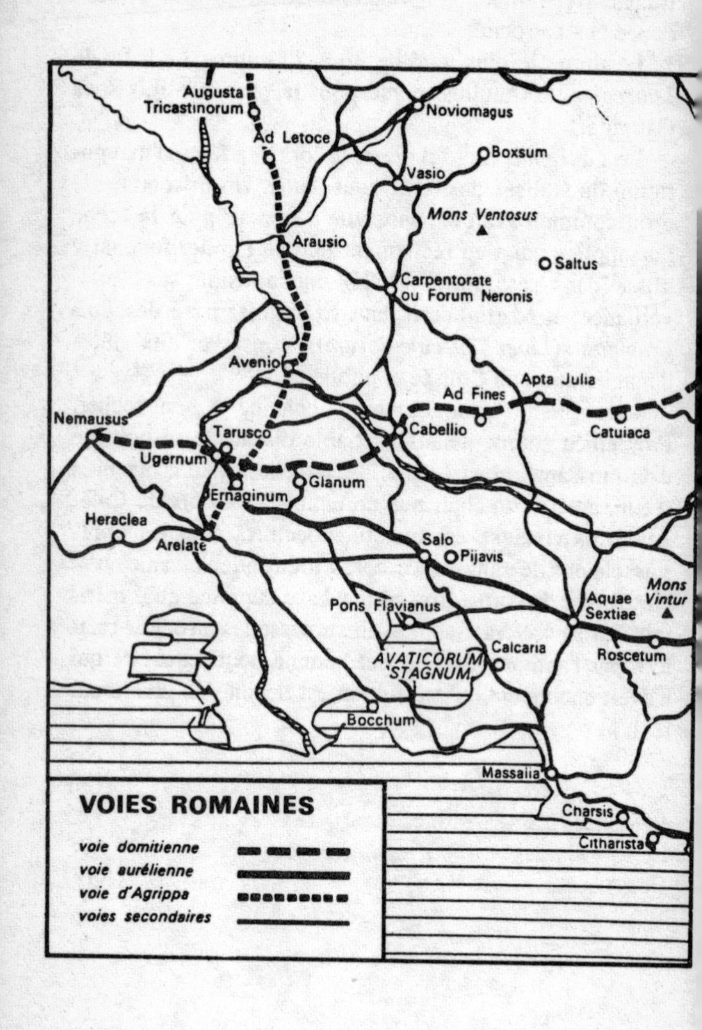
Augusta
Tricastinorum
Ad Letoce
Noviomagus
Boxsum
Vasio
Mons Ventosus
Arausio
Saltus
Carpentorate
ou Forum Neronis
Avenio
Apta Julia
Ad Fines
Nemausus
Tarusco
Cabellio
Catuiaca
Ugernum
Glanum
Ernaginum
Heraclea
Arelate
Salo
Pijavis
Mons
Vintur
Aquae
Sextiae
Pons Flavianus
Calcaria
AVATICORUM
STAGNUM
Roscetum
Bocchum
Massalia
Charsis
Citharista
VOIES ROMAINES
voie domitienne
voie aurélienne
voie d'Agrippa
voies secondaires

TABLE

Sur l'auteur

Anne de Leseleuc, parallèlement à une riche carrière d'actrice et de directrice de théâtre (Théâtre moderne, Théâtre Hébertot), se passionne depuis toujours pour l'Antiquité. À l'âge de 37 ans, elle décide donc de reprendre ses études, à l'École du Louvre tout d'abord puis à la Sorbonne, où elle soutient une thèse de doctorat en Histoire et civilisations de l'Antiquité. Elle est également l'auteur de deux romans historiques, *Éponine* et *Le Douzième Vautour*, couronné par le Prix de l'Académie française. Anne de Leseleuc est par ailleurs chargée de mission pour les Musées nationaux et participe à plusieurs campagnes de fouilles.

ACHEVÉ D'IMPRIMER SUR LES PRESSES
DE COX & WYMAN LTD. (ANGLETERRE)

Nº d'édition : 2379
Dépôt légal : février 1994
Imprimé en Angleterre